CW00822374

Les maux des chansons
sont la gueule de nos murs

FSC
www.fsc.org
MIXTE
Papier issu
de sources
responsables
Paper from
responsible sources
FSC® C105338

CELINE DUMAS

# LES MAUX DES CHANSONS SONT LA GUEULE DE NOS MURS

LA JOngle des Javas, textes et chansons

Tous ces textes sont déposés à la SACEM.
Si vous êtes intéressés pour les faire revivre,
N'hésitez pas à contacter l'auteure lajongledesjavas@yahoo.fr

Édition : BoD – Books on Demand
12/14 rond-point des Champs-Élysees, 75008 Paris
Impression : BoD - Books on Demand, Norderstedt, Allemagne

Depot legal 1er trimestre 2020

# PREAMBULE

Du printemps 2000 à l'automne 2018, La JOngle des Javas a fait valser mes mots sur des tas de plateaux : de bois, de pierre, de terre, sous la lumière, sous le soleil ou même la pluie.
La chance incroyable de voir ses maux arrangés en musique par tous ces compagnons de route musicale est une aventure que je voulais saluer par ce recueil. Parce que chacun de ces textes est un souvenir qui me rallie à tout un tas de gens croisés sur cette route. Parce que chacun de ces textes, devenu chanson, me ramène à celles et ceux qui les jouaient sur scène avec moi à ces moments-là.
Pour que vous sentiez vous aussi un peu des regards, des lieux, des jongleurs, des musiciens de ces années particulières, je vous ai glissés des contextes d'écriture, des chansons inédites chantées pour une unique occasion, ou des chansons qui, si je peux vous en chanter la mélodie, n'ont jamais franchi le cap de la scène pour tout un tas de raisons.

FESTIVAL INTERNATIONAL DU LIVRE DE FORCALQUIER 20 OCTOBRE 2000
VALENTIN LECHAT, CELINE DUMAS, JULIETTE PEGON ET REGIS HUSSER

## Remerciements

**A** tous ces camarades des ruelles matinales qu'ont été et que sont, dans l'ordre de notre histoire : Valentin Lechat, Régis Husser, Frankie Delettre, Yo, Sylvain Gouget, Géraud, Fausses Notes et Chutes de balles, La Cie La Tambouille, Kathy Plichon, Mado et Cap Berriat, Patrice Tavernier, Le Bruit de l'Œuf, La Hurlante, Ste Rita et Nina la Démone, Jean-Marc Le Bihan, Alain et Daniel Maillot, les squats du CPA et du Crocoleus et tous les potes, Les Barbarins Fourchus et tout particulièrement JC Brumaud, L'Adaep, les Saltimbanques Circus, L'Encre Rage, La Boite A Musique et Cie, Poon, Sandrine Dupuy, Joanne Tournoud, Kalim Tromeur, Dan Bartoletti, Youssef El Mamdouhi, Babette Reynaud, Arnaud Dulat, Manu Rousseau, Antonio Placer, Horizon Music et Charlie Peverelly, Pauline Bourmeau, Charles Mugel, Philippe Meyer, Mickaël Paquier, Dominique « Djack » Jacquemoud, Maxence Chamoud, Gilles Daumas, Salvatore Lunetta, Elie Guegain, Pascaline Herveet, Jean-Baptiste Huet, Léa Sarfati, les anars de Genève, Simon Clochard, l'équipe de DCAP, Caroline Coudert, A Tout Va Bien, la fanfare Touzdec, Jean-Claude Matthey et l'Atelier des Clots, Alex Lateuf, le Karkadé, Mahmoud et la famille Benyoumi, Luc Quinton et Luce, Philippe Balze, Sophie Martel, Xavier Sanchez, Fred Sulpis, Bernard Menu, Touma Guittet, Jean-Christophe Prince, Mika Gardret, et nos amis de Beau Sexe Xavier Bray et Virgile Pegoud. Merci aux personnes qui m'entourent,  mes amis et ma famille.

**M**ercis reconnaissants aux photographes qui m'ont donnée les droits de leurs photos pour ce livre : Pauline Bourmeau, Nicolas Perrin, Sarah Torecillas, Jessica Calvo et ma Laurence Fragnol.

**E**t milles mercis tous particuliers à mon frère d'arme Julien Karamitros, et à mes trois irremplaçables Juliette Pegon, Benoit Rey et Yaume Lannoy.

Céline Dumas

## Sur un air d'accordeon

Album « L'ère que tu bois » 2002

Nous nous sommes rencontrées
Sur le coin d'une chanson
Un chapiteau de coincé
Sur nos têtes désarticulées

Pantines de pauvres fortunes
Aux ficelles emmêlées
Il n'y aurait plus qu'une
Chanson pour nous tirer

Sur un air d'accordéon
Sur un air d'accords...Des « on »

L'une veut attraper les feuilles
L'autre, un peu de bourrasque de vent
Sur le coin d'une chanson
Sur un air d'accordéon

Pantines délassées des portées
Loin des clefs et des champs
On prend pied sur les pavés
Quand déborde le temps

Sur un air d'accordéon
Sur un air d'accords...Des « on »
Sur un air d'accordéon
Sur un air d'accords
Quoiqu'on dise...

28 octobre 2000 pour l'anniversaire de Juliette

Juliette, Quartier St Jean de Lyon

## La Jeunesse

Album « L'ère que tu bois » 2002

Y a la jeunesse des bancs d'écoles
Elle se voit déjà en haut des talons
Avec les galons et verres d'alcool
Et le cigare des fins de saisons

Y a la jeunesse qui s'émerveille
D'être venue sur terre sans tambours
Qui s'excuse et qui se met en veille
Tant qu'elle pourra vivre de ses amours

*Mais la jeunesse...*
*«Ah ! Elle est belle, la jeunesse ! »*
*Mais la jeunesse...*
*Il faudra bien qu'elle se passe...*

Y a la jeunesse des luttes perdues
Qui sera là où vous ne serez jamais
A grogner pour ce que vous n'avez plus
A se battre pour encore y croire

Y a la jeunesse si lasse de vivre
Sans foi en elle, ni même en rien
Qui se démerde comme elle peut pour survivre
Sous les coups de béton où on la parque

Et puis il y a une autre jeunesse
Sans âge, sans décor autre que les rêves
Pas toujours où il faut qu'elle se passe
Apprendre hors les murs, la vraie leçon d'humanité !

Ce sont nos voix qui se font murmure
Des contours de notre vieillesse
Des vies que l'on aura voulues
D'une histoire qui fera notre jeunesse !

*Mais la jeunesse...*
*Ah elle est belle notre jeunesse !*
*Et la jeunesse...*
*Il faudra bien qu'on la fasse !*

Le « Grenier » de la rue Lafayette, 28 octobre 2000
J'ai de grands souvenirs de concert sur ce titre,
notamment avec le public squat grenoblois,
qui valsait et tournoyait, sous le Chapitonom ou au Crocoleus,
et nous levait les zygomatiques jusqu'aux larmes.

## Un brin

Octobre 2000 Album « L'ère que tu bois » 2002

On s'en cause un brin entre deux verres
Ou plus longuement sur le palier
"Oui, c'est vrai, oui, mais qu'y faire
C'est bien du malheur, il paraît"

Parfois, ça gêne notre intestin
Il se tortille et se noue après les pâtes
On racle sa gorge, Hop! Un coup de rein !
Et on se fera opérer de la rate !

Heureusement encore qu'on puisse dormir
A coups de pilules, on s'évite les insomnies
Faut dire, on se permettrait presque plus un soupir
Avec ces milliers de morts dans son lit

Heureusement encore qu'on puisse se taire
Et se découvrir une langue tous les sept* ans
Le miroir s'est brisé pour d'autres amers
On filera la toile du silence, patiemment

Sans vouloir faire dans le vulgaire
On pourrait tout du moins se rappeler
De ceux qui nous ont fait, sans guerre
Des barricades pour nos libres pensées

Sans vouloir faire dans le morose
Y a des nuits où j'peux pas dormir
Y a des jours où j'peux pas sortir
Et c'est bon de se sentir vivant...

Au piano, Octobre 2000
* Mois du vote du passage au septennat présidentiel

## Le Bistroquet

EP Clown de Vie 2001

Non, ce n'est pas une chanson de rue
Un petit refrain qui se serait perdu
C'est une histoire de comptoir
Une goutte de porto sur papier-buvard

Oubliez l'heure qui s'accroche à vos pas
La balle haute relevez vos émois
Le Bistroquet ouvre ses portes au hasard
Bacchus sachant combien il nous égare

De petites rumeurs en rengaines de poivrots
A des brins de vie qui en vain se brisent
Rythmez vos soupirs sur nos silences
Drainez vos cris au goût des caniveaux

D'espoirs futiles en faciles utopies
Le porto porte aux nues toutes ces envies
D'arracher le Sol, là, même le dos
Et le revers de tous nos grands maux

Le « Grenier » de la rue Lafayette, Février 2001. Cette chanson était l'ouverture de notre spectacle « Le Bistroquet » présenté le 15 février pour le festival de la Marionnette de l'Adaep (Grenoble). Ce nouveau spectacle alternait des textes de Bernard Dimey, dit par Frankie, et des chansons reprises ou originales autour de personnages singuliers.

## DICTATEUR*

Album « L'ère que tu bois » 2002
Album « Vivre » 2014

Prends un pays bien oublié
Pour t'appuyer, une bonne armée
Pas de tueries, bien réfléchir
Use de bons mots pour les séduire

Deux, trois amis gradés de l'ONU
Ressort un héros disparu
Devient leur Dieu qui peut promettre
Un paradis autre que sur Terre

*Sois un bon dictateur, mon fils*
*C'est le boulot le mieux payé*
*Une bonne retraite sans risque*
*Un passé vite effacé*

Au bout de quelques heures seulement
Refais le gouvernement
Prends quelques pantins de service
Et des idiots pour ta milice

Construis de beaux camps d'internement
A l'extérieur de tes villes
Pas un cri, pas un chuchotement
Ne pourra sortir de derrière ces grilles

Et si tu crains ces étrangers
Qui pourraient te contrecarrer
Utilise donc l'immunité
Sur l'avis sûr de Pinochet

Ecoute donc ta bonne vieille mère
Qu'on appelait La Dame de Fer
Si ces cons touchent à ta carrière
Rejoins-moi donc en Angleterre !

Grenoble, Hiver 2000
* Le titre a d'abord été « Fiston » sur le 1er EP « Clown de vie »
Librement inspiré par Milosevic et Pinochet
En 1999, M.Thatcher accueille Pinochet en Angleterre :
*« Je suis bien consciente que vous êtes celui qui a amené la démocratie au Chili, vous avez établi une constitution appropriée à la démocratie, vous l'avez mise en œuvre,...»*
Le 5 octobre 2000, « La révolution des bulldozers » en Serbie conduit à la chute de Milosevic.

## Clown de Vie

Album « L'ère que tu bois » 2002

Ô Clown de vie
Couleurs d'asile en exil
Des clous, des marteaux
Pour monter un chapiteau
Qui trône dans cette foire
S'y accroche les amarres
Ce grand bateau ivre
D'histoires à vivre

Ô Chienne de vie
Qui aboie plus qu'elle ne crie
Des clous, des chaînons
Pour l'accrocher au bâton
Et tous ces manèges
Piètre sortilège
Ce grand bateau ivre
D'histoires à vivre

Rire ou éclats de visages qui s'étirent
A tomber dans l'effroi de n'avoir rien à dire
Juste un mot-caresse, un soupir, un désir
Peut-être au bout de la laisse
Savoir ce que l'on tire !
A demi-mots mais sans savoir espérer crier
Ces mots d'amour qui font les vautours
Je, tu, il ou elle sans savoir lever les ailes
Ni le voile, ni les voiles !

Co- écrit en 2000 avec Valentin Lechat.
1er jongleur de la Jongle des Javas, il en avait trouvé le nom pour le concert du 3 décembre 2000 au squat du Centre Psychiatrik Autogéré. On s'était d'abord appelés les Balles Cendrées, puis Les Dormeurs Crédules.

## C'est moi

Album « Vivre debout » 2001/ « Vivre » 2014

1

C'est moi, je crois que je me suis trompée d'histoires
Pour que ce train sans moi démarre
Et toi qui n'es pas là...
C'est moi, le cœur plein d' valises sous les yeux
Les mains qui tremblent pour un peu
Je croirais que tu es là...
C'est moi, qui regarde ces femmes qui se maquillent
Joli petit sac, talons-aiguilles
Je ne leur ressemble pas
C'est moi ! Je me faufilerais dans leurs pensées
C'est si vide que je peux voyager
Dans leurs rêves d'un mascara
Qui coule, sous les larmes du plus bel adieu
Sur une musique d'André Rieu
Grands Dieux ! Que c'est romantique !

2

C'est moi ! J'ai écrasé toutes les fleurs bleues
Mes lèvres ont le goût poussiéreux
De celles qu'on aime plus
C'est moi ! J'offre une tournée au Bar de la Gare !
Racontez-moi toutes vos histoires
Moi, je n'en ai même plus...
Et moi, je regarde les bras qui se desserrent
D'un bon petit rouge je me ressers
Lui au moins me saisit le corps...

C'est moi ! Pauvre épitaphe à vos fantasmes
Je ne redoute plus rien de vos sarcasmes
Je m'en ressers encore...
Un verre
Le seul ballon qui me transporte
Ailleurs que près de cette porte
Grands Dieux que c'est dramatique !

3

C’est moi
Encore une fois je crois que j’ai trop bu
J’raconte ma vie aux inconnus
J’ai même parlé de toi
C’est moi
Les yeux pleins de valises sous le cœur
J’vais désherber tous ces bonheurs
Comme si tu étais là

C'est moi !
Je ne suis pas bien belle à regarder, hein ?
Je crois bien même que je vais pleurer
Mais je ne le ferais pas
Je sais, qu'au bout du quai tu reviendras
De toute façon, ne me reste que toi
Même si tu n'existes pas...

Pour eux, depuis 20 ans que je t'attends
J'en ai vu passer des amants
Grands Dieux que c'est pathétique....De croire !

4

Allez ! Sers-moi un verre, je veux oublier
Que je suis laide à regarder
Et puis je vais pleurer

Allez...Joue-moi encore de la Java !
Que je fasse quelques petits pas
Sur ce quai si vide...

Ecrite une nuit de Janvier 97 à la Brasserie de la Gare des Cornavins de Genève.
Cette nuit-là, sortant du squat que nous avions dans le quartier des Grottes, je me suis baladée dans la gare et je l'ai vue, tirant son caddie en tissu écossais.
Je me suis commandée un café à la brasserie, et je l'ai racontée, des heures durant sur mon cahier de moleskine.
Pour l'anecdote, ce même soir se déroulait une espèce de prise d'otage dans l'église située à côté des Cornavins. Mes amis, inquiets, me cherchaient de partout, tandis que j'alignais les mots tranquillement à la Brasserie d'à côté. La sortie de la brasserie fût surréaliste, avec les cordons de police, l'inquiétude palpable, et moi ma chanson sous le bras.
Le texte n'a jamais été retravaillé depuis cette nuit, pourtant avant qu'elle ne devienne chanson, il a fallu plusieurs tentatives. La 1ère en live fût en 2001, où elle fût jouée par Juliette, et moi-même lors d'un concert pour une école de Géographie Alpine je crois à Grenoble, dans le nouveau quartier Vigny-Musset ; Concert où d'ailleurs nous avions eu une panne de courant qui nous avait fait finir le concert dans le noir et en acoustique dans une super ambiance.
Elle fût définitivement validée en 2009 où elle arriva enfin sur scène, pour y rester jusqu'en 2014.
Entre temps, la brasserie de la gare et la vieille dame avaient tous deux disparu.

## Ma Colocataire

Chanson inédite

1

Déjà petite, elle savait être
De celles qui dans la vie s'empêtre
Elle pouvait croire au Paradis
Pour avoir l'espoir d'une autre vie
Elle rêvait de Chine, de Geishas
Sans vraiment trop savoir pourquoi
Mais plus tard ce fût pour Mao
L'idéal étant de croire aux idéaux.

Etre sa colocataire parfois
Demandait de supporter ses Bouddhas
Ou d' l'accompagner dans l'alcool
Dans ses fichus déprimes folles...sur Barbara

*Ne me demandez pas comment*
*Elle a pu se retrouver là*
*Elle me répondra gentiment*
*"J'ai pris logis sous ton toi"*

2

Elle croyait dur comme le Gaffiot
Qu'on pouvait se jouer des mots
Pour du militantisme utile
Pour ne pas être une fille facile
Elle a même cru sans vergogne
Qu'on pouvait se prendre des cognes
Pour un non-dit ou par altruisme
Criant *" A mort l' Capitalisme!"*

Etre sa colocataire souvent
C'est de la voir comme une enfant
Qui peut pleurer quand on la touche
Ou rire bêtement si on la touche....

3

C'est souvent les soirs de pleine lune
Que j'lui reproche de n'être qu'une
Grande squatteuse de tous mes émois
Surtout quand je hurle tout bas
Contre ses crises, contre sa vie
Ses débordements de furie
Ses amours bien trop compliquées
Et ses chansons de névrosée

Des ans déjà d' colocation
Sans pouvoir voir un horizon
Sans ses soliloques insolites
A moins de voir un psychanalyste....

*Refrain*
*Ne me demandez pas comment*
*Elle a pris logis sous mon Moi*
*Pour l'état des lieux, voyez Freud ...*
*Ou encore Jung....*
*Chacun son agence....*

Ecrite au « Grenier » de la Rue Lafayette à l'hiver 2000.

## Mon homme

Album « L'ère que tu bois » 2002

Je n'ai connu que peu d'hommes
Tous très loin d'être difformes
Mais comme on dit dans le populo
C'est toi que j'ai dans la peau

Ce n'est pas faute d'avoir essayé
D'aimer quelques-uns qui passaient
Mais ma pauvre fille, y a rien à faire
Sauf si je tombe sur un tout-pour-plaire

Pour sûr, y a celles qui aiment les cu
-Res de bras dessus-bras dessous
Mais si la mort est au tournant
Je préfère l'amour en attendant

Je n'ai connu que peu d'hommes
Tous très loin d'être difformes
Mais comme on dit dans le populo
C'est toi que j'ai dans la peau

Le monde devient androgyne
Je me fais draguer par les frangines
A attendre là comme Pénélope
A développer des airs de philanthrope

Et quand y a de trop, y a pas de plaisir !
Quand y a trop peu, c'est le martyr
Moi, j'aime la vie comme un ressort
Quand ça repart, pour revenir plus fort

Je connaîtrai d'autres hommes
Je finirai par être difforme
Alors comme dit le populo
Je te garde sous ma peau !

Ecrite au « Grenier » de la rue Lafayette
Hiver 2000
Chantée la 1ère fois le 3 mars 2001 au Tonneau de Diogène
J'ai longtemps aimé être femme de marin, puis finalement comme dans le dernier couplet de « Dis quand reviendras-tu » de Barbara, j'ai préféré me réchauffer à d'autres soleils…

## La ville est sous la pluie

Chanson inédite

La ville est sous la pluie
Ou le silence, je ne sais plus
L'oubli d'un regard au-dehors
Avec un rythme en plus

Je me lève, deux croches noires
Je bois mon café lentement
Il se bouge en trois temps
Java de mots, jeux de hasard
J'allume ma cigarette
Et le geste devient mouvement

La nuit je peux crier
Sans me retourner la tête
L'accordéon qui m'fait vibrer
Rebondit sur la cadence et s'entête

Je sors, deux croches noires
Je croise des gens au hasard
Ils marchent en deux temps
Java de fuites, jeux de nuages
Je fume ma cigarette
Et le geste devient mouvement

Si je joue donc je fuis
Je me grise de ces danses
De ce rythme qui me poursuit
Et je fais valser mes ennuis
Je fais valser mes envies

Je me couche, deux blanches, ronde
J'attrape des mots à l'envol
Ils s'accouchent en six temps
Java de notes, jeux de soupirs
J'écrase ma cigarette
Et le souffle devient mouvement

Ecrite au « Grenier » de la rue Lafayette, Hiver 2000

PHOTOGRAPHIE : PAULINE BOURMEAU 2007

## J'AIMERAIS

Texte inédit

J'aimerais comprendre l'indicible
Pointer la bonne cible
Etre plus sûre des rêves
Vivre de bonne sève
Etre moi

J'aimerais ne plus pouvoir dormir
En pouvant en rire
Avec l'ivresse de vivre
Avec les mots à écrire
Etre moi

J'aimerais embrasser ces folies
Les coucher dans mon lit
Les enlacer à mes rêves
Les faire vôtres...
Les faire nôtres...

Ecrite au « Grenier » de la rue Lafayette, Hiver 2000

## Je ne rirais pas

Chanson inédite

Je ne rirai pas
De ceux qui, pensent-ils
Ont trop ouverts les bras
Pour attraper leurs rêves dans un battement de cils

Je ne jugerai pas
Ces gens qui, disent-ils
Se sont fait une loi
De porter sur leurs lèvres leurs promesses dociles

Je n'aurais même pas l'honneur
De demander ta main
Cupidon, cet entremetteur
S'est tu en un tournemain

Je ne rirai pas
De celles qui, disent-elles
Fantasment comme moi
Sur ces libres amants qui font fi des autels

Je ne jugerais pas
Ces gens qui, pensent-ils
Ont besoin de prélats
Pour rimer leurs idylles avec « Ainsi soit-il »

Je rêverai l'honneur
De refuser ta main
Si Cupidon cet entremetteur
Se mêlait d'ajouter nos noms à son calepin

Ecrite au « Grenier » de la rue Lafayette, Hiver 2000

CELINE – PHOTO YVON CHAIX 2001

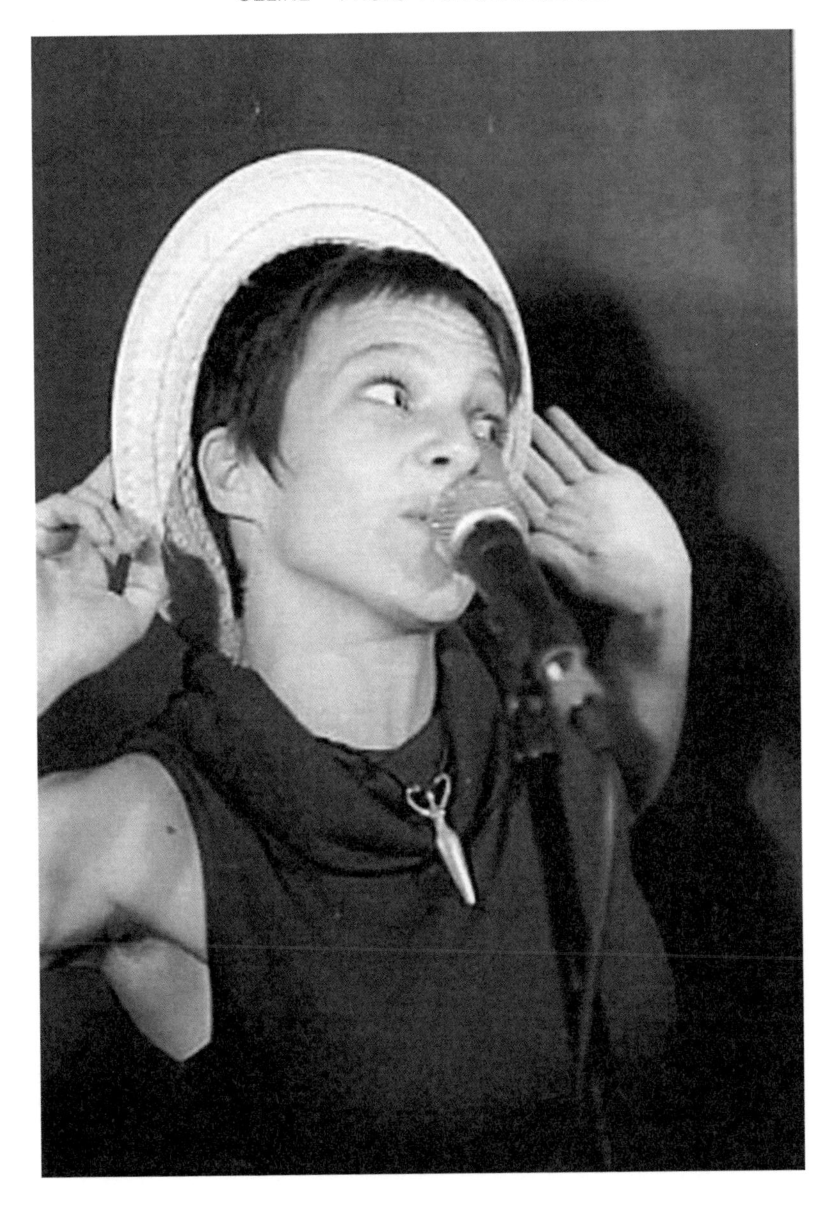

## JEU DE BUSH

Album « L'ère que tu bois » 2002 / « Rêve d'histoires » 2007

Le regard vers ce qu'il te reste de secondes
Les bras en croix de bois, croix de fer
L'horloge qui parle de la fin de l'enfer
De lance de ces chevaliers du Nouveau Monde

T'aurais très bien pu être ailleurs
En bas sous les bannières des convaincus
De cette justice de défenseurs
De ces ornières de la Mort mise à nue

*Par simple jeu de Bush*
*En mal d'escarmouche*
*Chemine l'idéal de la vengeance légale*
*La vérité se couche*
*Mais « que personne n'y touche!*
*C'est notre liberté de choisir de tuer ! »*

Ce couloir de la mort où rôdent ces promesses
D'avocats, croix de bois, croix de fer
Ces insomnies où tu réclames ta mère
Où se griffent les remords de ta jeunesse

T'aurais très bien pu être ailleurs
Dans l'Etat d'à côté sans juridisme
Où l'on jugerait humaine l'erreur
Où l'animalité n'est pas un civisme

*Refrain*

Dans ce vieux testament de leur puritanisme
Tu as lu croix de bois, croix de fer
Que dent pour dent, on accroit ta misère
Mais que Dieu pardonne ton incivisme

T'aurais très bien pu être ailleurs
Loin des murs bâtissant la ville tueuse
Où des malades, même des mineurs
Meurent sous le coup de cette justice intraveineuse

*Refrain*

Ce bourreau gagnant à être président
Je n'mens pas, croix de bois, croix de fer
Si ton histoire ne tâche pas sa carrière
Pardonne-moi, mon enfant

T'aurais très bien pu naître ailleurs
Si je n'avais pas cru si tôt
A ce rêve qui me semblait beau
A cette statue, qui aujourd'hui t'enflamme

Pont de Claix, 2001
Après le visionnage de « La dernière marche »
Film de Tim Robbins, avec Susan Sarandon et Sean Penn

C'était un petit homme sans histoire
Qui habitait dans une armoire
Entre les chaussettes, les caleçons
Il pouvait jouer de l'accordéon
Il ne se souvenait plus de lui
Ni pourquoi il était ici
Se construisant sans sa mémoire
Sa vie se rythmait sur le tango

C'était une nana sans miroirs
Qui habitait dans le tiroir
Après des années de trottoir
Elle voulait perdre la mémoire
De son passé elle ne gardait
Que la mer amère de couler
Des vagues de douches purifiantes
Au rythme d'une danse stupéfiante
*Ah! La Mémoire et la Mer....*

Un pauvre clown dans des chaussures
Un peu trop grandes côté pointure
En avait fait deux belles roulottes
L'une pour son chien, l'autre pour sa pogne
Ses semelles lâchant souvent le sol
Sa vie se termine sur un bémol
Les pieds dans l'eau face à la mer
Les grains de sable comme cirque d'hiver
*...Quand la mer bergère l'appelle...*

Février 2001 - Hommage à Léo Ferré – Lyon. Juliette, Frankie et moi avions été invitées par la MJC du Vieux Lyon, pour une semaine d'hommage à Léo Ferré, avec une trentaine d'artistes. Une occasion incroyable et magique pour nous trois de rencontrer et de chanter devant Marie et Matthieu Ferré...

S'il fallait un bout rimé
Qui pourrait vous faire danser
Je serais bien loin de l'étrenner
Dans un hommage à la Trenet,
Pour qui l'heureux peut être sourd
Devant ces vichystes discours
Qui décidaient de l'asile
D'un peuple et d'un homicide,
Sous le soleil !

Il paraît bien plus évident
De faire une chanson dans le vent
Si elle n'offre pas aux passants
L'étalage de tous nos tourments.
Si l'on omet de décrier
Ces dramatiques rengaines
Que notre radio égraine
Créant l'orage après le soleil
Après le soleil

C'est pas pour démoraliser
Si je ne chante que ce qui fait pleurer
Mais les mots râlent sans s'arrêter
Dès que je veux écrire une chanson gaie !
Si pour Juliette, j'essaie quand même
Un de ces airs bien entraînant
La météo prend les devants
Et je me retrouve l'âme en peine....

Je veux du soleil !
Je veux de la joie !
Je veux de la joie sur tous les toits
Je veux de la joie! Rien que de la joie !
Oh je veux de la joie sur tous les toits,
Que les oiseaux ne chantent que pour moi !

Je veux de la joie !
Je voudrais voir ça, tiens !
Voir toute la ville en émoi,
Les filles sortir, un mec au bras...

Je voudrais voir ça
Je voudrais de la joie sur tous les toits....

D'où tombent les chats....

Ecrite pour Juliette au Cube, Avril 2001
Le fait que je ne sache écrire de chanson gaie, ou festive fût tout au long des 18 ans de vie du collectif une blague, récurrente, à laquelle cette chanson tentait de répondre dès le début de l'histoire de La Jongle.

## Croc Madame

(co- écrite avec Juliette Pegon)

Moi j' veux plus qu'on m'appelle Monsieur
J'veux qu'on m' regarde dans les yeux
Prenez-moi dans vos bras

J'veux être de ces vieux anars
Qui rient de vos amours-buvards
Transpirer de tendresse

*Tous androgynes anonymes*
*Qui se ruinent dans vos villes*
*Qui survivent dans vos ruines*
*Moi, l'amour m' fait bien trop mal*
*J'me fais râle, j'me fais pâle*
*J'y empale mes sourires*

Moi, j' veux plus qu'on m'appelle Madame
J'veux qu'on m' regarde comme une femme
Prenez-moi dans vos bras

Moi mon âge ne veut plus rien dire
Mon corps fourmille de désirs
Transpirer une caresse

Croc Madame et Croc Monsieur
Sans être lasses d'être vieux
On vulcanise nos vies

Comme de beaux et vieux anars
Resexuons nos buvards
Poings levés, cœurs volés !

Jean-Marc Le Bihan, Festival Place Ose Herbes – Grenoble – Octobre 2000

Avec l'association Nocturnes et Bouches Cousues, on avait invité Jean-Marc Le Bihan, ce poète anarchiste des rues, pour notre festival Place Ose Herbes à Grenoble, en octobre 2000.
Le 20 juin 2001, on jouait chez lui, Au Cœur des Gens, (Place Colbert sur la Croix Rousse de Lyon), invitées à notre tour par Jean-Marc. Une rencontre forte avec les publics, les passants, les tauliers, les afters, Daniel Maillot, à l'écoute du cœur des gens... Nos Croc Madame. On y a rejoué ensuite avec nos potes de Ste Rita et Nina la Démone (Pascal et Gillou) tous les soirs pendant une semaine. Ineffaçables moments.
C'est d'ailleurs notre unique chanson passée sur les ondes de France Inter dans l'émission de Philippe Meyer « La prochaine fois, je vous le chanterai. » Meyer qui nous invita d'ailleurs à jouer en 2007 sur la Scène Nationale des Pyrénées.
Jean-Marc a quitté le bitume le 4 août 2019, mais pas le cœur des gens, après plus de 40 ans de chansons que je vous invite à écouter.

Céline Dumas
chante
" La poésie
fait son nid
dans les trous des morales "
La Jongle des Javas
association Djalaba
RETOUR
d'AFRIQUE
CONCERTS
CONCERT
LA JONGLE des JAVAS
CHANSON
NORD-SUD
3€
le festival
de rue
est Place
aux Herbes
mais il n'y a pa
l'avion, 6 7 8
octobre obligent
...
CAFE DE LA GARE
VENDREDI 06 AVRIL
La jongle des javas
Repas-spectacle
le 26 avril 2001 à 20 h
au Café La Frise
26 au 31 mars
La Jongle des Jav
CONCERT
mercredi 21
orgue 18h
la jongle des javas,
la hurlante
festival
fraKa
festin des glaneurs
antipsychiatrie
ANTI-PUB
PROGRAMME DE MARS
cpaaaah l'attaque
PROCES VENDREDI
23 MARS
8H30
P'TIT DEJ
GUINGUETTE

## LES MARINS DE VILLES

Chanson inédite

Une bande de joyeux lurons
S'est glissé dans vos rues
Avec quelques opinions
Qui n'ont pas pognons sur rue

La nuit quand les lampes adhèrent
Aux plafonds de vos rêves
Ils embarquent dans une galère
Païenne et éphémère

*Les marins des villes*
*En quête d'Eldorado*
*Pour planter tranquilles...*
*Des mots*

*Les marins des villes*
*Bercés de vagues d'illusions*
*Ont dans leurs îles*
*Des écueils d'espoirs*

Ils n'arborent pas toujours le bon
Pavillon qui peut plaire
Aux commodores des galions
Qui se partagent la mer

Ces défenseurs de l'immobile ère
D'une culture sans effort
Et pour lesquels un bon squatteur
Est un squatteur dehors

Si souvent, ils lèvent les voiles
Et larguent les amarres
C'est qu'il n'y a pas de voie royale
Pour qui convoie les Arts

Ces apatrides de tous ports
Loin de tous vos mirages
Qu'un 6ème sens brillant et noir
Abreuve le sillage

*Des marins des villes*
*En quête d'Eldorado*
*Pour planter tranquilles...*
*Des mots*

*Les marins des villes*
*Bercés de vagues d'illusions*
*Ont dans leurs îles*
*Des écueils d'espoirs*

Ecrite en un trait et chantée une unique fois
au squat de la rue G.sand de Grenoble en Juillet 2001

## L'IDIOT DU QUARTIER

Chanson inédite

Sauter d'un rouge pavé à l'autre
En ignorant celui qui affiche son verso
Rythmer le mouvement de mes doigts
En justifiant le binaire de leurs ébats

Marcher en essayant de raccrocher
Le haut des toits aux nuages imagés
Brûler son réveil aux bouffées
D'une cigarette noyée dans le café

*C'est tout ce qui fait que ma vie, sans le Savoir*
*Est un peu plus colorée, un peu moins noire*
*Tout en sachant que sans le Savoir*
*Ma tête a ce goût un peu fade de trou noir*

Sourire aux gens de passage
En les flattant sur l'état de leur plumage
Chiper des mots qui s'envolent
Pour m'inventer une parabole

Ouvrir la porte à de Grandes Dames
En m'étonnant de me voir gentleman
Monter tout en haut d'un lampadaire
Pour me croire l'un des frères Lumières

*Refrain*

On m'appelle l'idiot du quartier
Mais il n'y a pas de sots métiers
N'est pas sot celui qui le veut
Mais celui qui s'arrache les cheveux

Etre le faire-valoir des urbains
Ça demande de se lever matin
De ne pas manquer d'imagination
Pour être plus sot que tous ces cons
- si l'y a bulles, y a pas de systèmes
Il suffit de jouer de ce qu'on aime

Tout en sachant que derrière soi
Y a toujours plus idiot que soi
Pour être votre idiot, c'est sûr
Il faut le faire aux fils et aux mesures....

Chantée la 1ère fois le 20 octobre 2001 à la librairie-café-concert L'Encre Rage (rue E.Forest Grenoble),
Avec Juliette à la flûte à bec !

## LE CAFE

Chanson inédite Mars 2001

Le café se sert dans le froid.
La cuillère se serre, au creux de l'effroi
D'un petit matin qui se voyait Grand Soir.

Il fantasmait, c'est effarant.
Il frémissait, de ses arbres s'effeuillant,
Laissant les chagrins se délier sur le comptoir.

Au creux de ses idées brumeuses
Une clameur l'enivrait, libertine et curieuse
(De lui,) petit matin qui se voyait déjà Grand Soir.

Sur les façades, les gros titres
Sur lui, cafardeux, refeuilletant ses chapitres
Qui le prédisaient matin enfantant d'un Grand Soir

Il recensait tous ses cafés
Il pensait aux cuillères rassasiées
(Et remuait ses pensées sans cesse ressassées)
De la chaleur des matins qui se voyaient Grand Soir

Comme les douze coups sonnaient
Il commanda un dernier café
En laissant le Midi se rêver en Grand Soir
Victime d'un romantisme futile

## La Brunette

Album « L'ère que tu bois » 2002

Un petit bout de femme de personne
Qui n'accroche pas le regard des hommes
S'est inventée une esthétique jugée pour le moins
excentrique

Dans ses atours qu'elle voulait roses
Elle cache ses dessous moroses
Vieillis par l'usage et la folie
Enfin tout ce qui certainement fût sa vie

A ce comptoir
Où tous les jours
Elle cherche l'amour
Sa plus belle histoire

De tous ses froufrous enveloppés
Au bar elle s'était accoudée
Pour se laisser conter fleurette
Par un bellâtre dont il manquait la tête

Sitôt éprise de ses paroles
Qu'elle bût autant qu'il ne prenait d'alcool
Sans mot dire, elle se promit de revenir
Dans ce troquet qui brûle ses souvenirs

A ce comptoir
Où tous les jours
Elle cherche l'amour
Sa plus belle histoire

Cette semaine là elle vint plus tôt
Que d'habitude boire au bistrot
Les yeux brûlants dans cette attente
De cet Hidalgo dont elle sera l'amante

Une fois consommé toute sa carte
Dernier espoir dans son histoire
Elle ressortit celle du bellâtre
« Peut-être ne pourra- t'il venir que plus tard »

A ce comptoir
Où tous les jours
Elle cherche l'amour
Sa plus belle histoire

A ce comptoir
Elle s'mit à boire
A ne plus croire
Aux belles histoires

Ecrite au restaurant La Frise (Crs Berriat) de Grenoble
Où j'ai officié comme plongeuse quelques mois.
La « Brunette » venait vraiment presque chaque jour, telle qu'elle est décrite dans cette chanson. Son histoire est inventée, mais qui sait ? On la dit sur le Vercors désormais.
Pensée à Gilles, le patron du lieu, disparu aujourd'hui, qui avait reconnu avec émotion la Brunette dans ma chanson lors de notre concert à la Bifurk de Grenoble, bien plus tard, en 2009.

Libération

«Avec humanité et cœur»...

Jean-Louis Debré

Vendredi 23 août 1996

M 0135 824 - 7,00 F

SAMEDI 24 ET DIMANCHE 25 AOÛT 1996 DEUXIEME EDITION NUMERO 4747

## 23 Aout 96

Album « L'ère que tu bois » 2002

Il ne sait d'où Il vient
Même pas où il sombre
Trois centaines au matin
Pour la même question
Et huit qui grèvent de faim
Dans la nef profonde
Sous le jugement si gris
Des statues immondes...

Et France Info égraine
Cette propagande infâme
Ces mots qui nous assènent
De promesses d'incapables
Sous les ponts de la Seine
Sonnent semblables gammes
Aux vieux jugements si gris qui font brûler la flamme

*Sur le quartier Barbès*
*Sonne une marche funèbre*
*Le poupon s'est barré*
*Du berceau des Lumières*

Bien sûr, Il s'en doutait
De ces questions fécondes
D'autres bouts de papiers
Qui allongeraient le nombre
De délits d'initiés
Qui savent en une seconde
Créer des sans patries
Sans devoir en répondre

Il ne sait où il sombre
Ne peut plus y croire
Trois centaines d'ombres
Mystifiés par l'Histoire

L'Humanisme qui tombe
Vendue pour votre gloire
A la démagogie
Sans devoir en répondre

*Sur le quartier Barbès*
*Sonne une marche funèbre*
*Le poupon s'est barré*
*Du berceau des Lumières*

Par les coups des matraques
Et des discours passés
Sous silence des énarques
Et de nos présidents

Combien de ces espoirs
Créent des parcours brisés
Fondés sur l'amnésie
De l'électeur français.

Ecrite de 1996 à 2002
En Août 96, à 18 ans, je me retrouvais à l'Eglise St Bernard pour soutenir le mouvement des Sans Papiers.
Jusqu'à son évacuation.
Face à ma 1ère confrontation avec ce que peut être la violence d'Etat, les mots ont été extrêmement longs à trouver leurs formes définitives sur le papier. Mais une fois en chanson, ce texte a accompagné tous les concerts entre 2002 et 2018.
J'ai par ailleurs toujours le journal de bord que j'ai tenu durant ces quelques jours...

## Sous le pont Mirbeau

Live 2004

J'm'appelle Célestine
Je plais à la gente masculine
Mais les limousines
S'arrêtent jamais pour ma trombine.
Mes allures de Dame
Quand je marche sur le macadam
Font pâlir ces femmes
Qui roulent en Safrane

*Je suis qu'une femme de chambre*
*Sortie d'un roman*
*Aux titres de leurs gloires*
*Au nom de leur argent*
*On ne peut pas s'imaginer ce que les patrons*
*A la lueur de ma Javel sont de vrais....*

Sous le pont Mirbeau
Mes rêves suivent le cours de l'eau
Je me vois en paréo
Sous le soleil de St Malo !
Je serais de ces dames
Dont le corsage désarme
Rendrais folle les âmes
Des gazettes de ces femmes

Printemps 2001. Ecrite quand j'étais femme de chambre au Parc Hôtel de Grenoble. L'une de mes collègues refusait de sortir par la porte de service. Elle prenait sa fausse fourrure et sortait à la fin du boulot, par la grande porte, avec une classe folle, se mêlant aux clients, sous le regard amusé du voiturier. Cette chanson fait bien évidemment référence au livre « Journal d'une femme de chambre » d'Octave Mirbeau.

Chanson inédite

Je ne suis qu'un bout de rien
De ceux qui jamais ne dérangent
Mais de palais souvent je change
Grâce à l'import-export humain

J'ai rencontré nombre canines
Qui s'accompagnent de chemises
De la plus brune à la plus grise
Mais ne se voient qu'en opalines

*Vous me montrez vos crocs*
*Qu'enjambent vos discours*
*Vite, et même si c'est faux*
*Que ces choses-ci n'ont plus court*

Martyr des vicieuses pulsions
De vos mâchoires belliqueuses
Vous me rêvez nation boiteuse
Pour mastiquer mes illusions
Gamin déjà vous ignoriez
Ces légendaires leçons de choses
Qui toujours vous indisposent
Quand de l'Orgueil vous abusez

Mais il faudra bien, je suppose
Que d'étouffement vous crachiez
Votre trouffione virilité
A la Révolution des choses

Je ne suis qu'un bout de rien
Mais je pourrais bien m'arranger
Demain si par moi, vous mourrez
D'un attentat prolétarien

Mais je sens bien que mes menaces
N'ont pas de crédits à vos yeux
Que seul un Bretzel convient peu
Au symbole de lutte des classes

Le 15 janvier 2002,
G.W Bush s'étouffe avec son bretzel et se manque.
Ecrite ce jour-là à Pont de Claix

## Il est minuit…

Live 2004 - Album « Rêve d'Histoires » 2007

On chantera sous toutes les pluies
Pour toutes les fleurs de nos silences
Sans petit coin de parapluie

On mêlera nos yeux embrumés,
On soignera toutes les carences
De nos deux mannequins glacés

On hurlera jusqu'à la lune
Pour réveiller jusqu'à la Mort
Les utopies de l'infortune
On balayera les feuilles mortes
Pour éloigner tous les remords
… Dévier le temps en quelque sorte

On croisera tous les fantômes
Qui ne pensent plus qu'à l'Age d'Or
Comme d'un Grand Soir posthume en somme

On revêtira nos amours
Pour un dernier moment encore
Presser le pas à nos discours

On hurlera jusqu'à la lune
Pour réveiller jusqu'à la Mort
Les utopies de l'infortune
Jusqu'à sentir au creux des reins
L'ensorcellement de l'aurore….

Rue Génissieu, Grenoble, Automne 2001
Ce texte joue sur des emprunts à des chansons existantes, en clins d'œil plus ou moins discrets.

Futur Patron
Par les partis
Pris ou pas,

Ta particule
Fignolée sans
Ta partie tête,

Le col levé
L'école finie,
N'oublie pas tout ce qui s'ensuit :

*La vie sans le sou, ce n'est pas marrant*
*Mais quand on vous regarde en dedans*
*C'est bon de se dire que la misère parfois*
*n'est pas que pécuniaire*

Petit courtier
Pris par le cours
Du dollar,

Ta tite retraite
Recluse dans
L'action du mois,

Le col levé
Sous la pluie
N'oublie pas tout ce qui s'ensuit :

*La vie sans le sous, ce n'est pas marrant*
*Mais quand on vous regarde en dedans*
*C'est bon d'se dire que la misère*
*Parfois n'est pas que pécuniaire.*

*Ce n'est que vers soixante dix ans*
*Le bide repu de votre argent*
*Que vous digérez vos revers*
*En décrivant le cercle des affaires*

Petit humain
Pris par le cours
Du dollar,

Tes rêves implosent
Sous les lobbies
De leurs envies,

Le poing levé
Pour l'Utopie
N'oublie pas tout ce qui s'ensuit :

*La vie sans le sous, ce n'est pas marrant*
*Mais quand on les regarde en dedans*
*C'est bon de se dire que la misère*
*Parfois n'est pas que pécuniaire.*
*Qu'on donne un grand coup là dedans*
*Idées reçues, idées de perdants*
*Plus de notions de fatalité*
*C'est par nos rêves qu'on va gagner*

Ecrite en marchant Rue Thiers
avec mes chaussures blanches,
sous la pluie, en sifflotant, en 2003.

YAUME – CONCERT A L'ENTREPOT (PARIS 14EME) – AVRIL 2007
PHOTO PAULINE BOURMEAU

## On n'cede pas

Album « Rêve d'Histoires » 2007

On n' cède pas aux choses celles qui nous lient la vie
Ceux qui ne disent rien mais qui promettent tout
Qui paraissent sans cesse mais qui se lèvent tôt
Pour porter à bras nus le nombre de leurs mégots
Les rides de leurs corps nus,
Leurs vies qu'ils ont construits
Juste à côté de rien,
Ils nous compteront tout.

Les paroles qui s'envolent sans qu'on ait bien choisi
Qui traversent l'écueil et qui nous rendent fous
Un sens qui marche au pas, précédant l'existence
Un air qui dit comme ça, c'est ainsi que l'on pense
On instruit nos limites, sous l'ombre qui nous suit
On peut rester des chiens... aux colliers de bijoux.

Une seconde existante, sans passé, sans avenir
On arrive à se dire qu'il est trop tôt pour vivre
Le silence se fait, on ne jure plus de rien
Le monde se réduit aux rêves que l'on fait siens
On recrée l'heure d'après, sans doutes du souvenir
On brise l'horlogerie... pour ne plus revenir

*On n' cède pas aux choses, on s'accorde sur la vie*
*On s'accorde sur l'avis ... et on comptera tout.*

Ecrit suite aux mouvements sociaux de l'été 2003

## Humanimal

Album « Rêve d'Histoires » 2007

Ils naissent les yeux ouverts
En montrant de front leur derrière
Ils tètent la poussière du dernier sein de la misère
Ils rient de n' pouvoir taire leur appétit tentaculaire
Ils grimpent en singes d'affaires
Dans les belles branches immobilières

Ils carnivorent l'envie privatisant le troc des vies
Ils abattoirent les cris de leurs précaires ennemis
Ils ont à leur mépris l'obscénité des enrichis
Dans leurs cavernes, tapis, leur portée fait son nid...
Humanimal

*Ils Cac 40 dans leurs basses cours*
*En picorant leurs beaux discours*
*Ils pondent des lois*
*Humanimales*

*Ils grouillent et ils se multiplient*
*Ils dictaturent et ils spolient*
*Au nom de la loi*
*Humanimale*

Ils rêvent de ces terres,
Dont ils feraient leurs pissotières
Ils sépulturent les airs, interdisant les pamphlétaires
Ils tissent les œillères de nos esprits crépusculaires
Ils crèvent le cœur ouvert, en exhibant
Leurs belles artères

Ils théorisent nos vies en codes chiffrés, en codevi
Ils lavent leurs délits, en prétextant leur amnésie
Qu'ils crèvent tous d'ennui
Sur le trône de leurs infamies
Qu'on décortique leurs vies
Dans des documentaires à minuit
Humanimal

*Ils Cac 40 dans leurs basses cours*
*En picorant leurs beaux discours*
*Ils pondent des lois*
*Humanimales*

*Ils grouillent et ils se multiplient*
*Ils dictaturent et ils spolient*
*Au nom de la loi*
*Humanimale*

Automne 2003, Ecrite Rue Thiers (Grenoble)

## Je sais

Album « Rêve d'Histoires » 2007

Je sais les mots si réduits
Qu'on n' sait plus qui agrandir,
De nos pensées ou nos désirs

Qu'on fait comme si et puis comme ça
Parce sans doute on ne se tient pas
Parce que sans peine on n'y croit pas

Cris-moi que tu veux
Partir, et je saurais mieux
Bien mieux vieillir

Je savais te fuir
Sur moi, tes yeux cueillir
Et te séduire et puis te nuire

*Je sais les mots si réduits*
*Qu'on n' sait plus qui agrandir,*
*De nos pensées ou nos désirs*
*Qu'on fait comme si et puis comme ça*
*Parce que sans peur on ne vit plus*
*Parce que sans vivre, on n'y croit plus...*

Arrache-moi les mots
De cette chape de faux
Semblants d'y croire

Je savais dans ton lit
Tes derniers sens interdits
Te les voler
Ne parle pas,
Je...

*Je sais les mots si réduits*
*Qu'on n' sait plus qui agrandir,*
*De nos pensées ou nos désirs*
*Qu'on fait comme si et puis comme ça*
*Parce que sans peur on ne vit plus*
*Parce que sans vivre, on n'y croit plus...*

Je n' sais pas être sage
Je ne peux pas sans dommage
Brûler ma vie

Cris-moi que tu veux
Partir, et je saurais mieux
Bien mieux vieillir...

Ecrite à Lyon, quartier de la Guillotière, au Printemps 2004

Celine, yaume et benoit
Rue des martyrs a Paname – Avril 2007
Photo Pauline Bourmeau

## Reve d'Histoire

Album « Rêve d'Histoires » 2007

On polémique,
On tergiverse
On brûle la suite
On garde de beaux restes

On rêve d'histoires
Sans nos comptoirs
A l'allure de nos trêves
On éveille les cafards d'un soir
En écrasant nos mémoires

On rit des larmes
Des mots doux mais cruels
Aux paupières des drames
Qui mouillent nos ruelles

On rêve d'histoires
Sans nos comptoirs
A l'allure de nos trêves
On éveille les cafards d'un soir
En écrasant nos mémoires

Nos cris désarment
Nos Tistou aux pouces verts
Et sur les ruines de nos larmes
On perfectionne les barrières

On rêve d'Histoire sans provisoire
A l'allure de nos rêves
On écrase les cafards d'un soir
En éveillant nos mémoires

On rêve d'une chanson qui nous asticote
Une révolution permanente
Morts aux cons et à leurs cohortes
De lendemains qui déchantent…

Ecrite rue Thiers (Grenoble), hiver 2004
En hommage aux mères de la place de Mai en Argentine

## Camarades (ode a Jacques Prevert)

Album « Rêve d'Histoires » 2007

Toutes ces heures comme les étoiles
Vivant de nuit pour les toujours
A moi seule, elles ont suffi
Mais ont désarmé vos envies

Tout reste question de miroir
Les ornements importent peu
Le choix des armes nous égare
Et chaque jour nous piège un peu

*Camarades des ruelles matinales*
Ou compagnons des mauvais jours
*Prévert vous souhaite Bonne nuit*
*Et moi, je n'ai pas dormi*

Toutes ces chansons en arsenal
Ont peu d'oreilles le soir venu
Ont peu d'oseille dans le bas de laine
On supporte bien assez de peines

Tout reste question de tiroir
Lequel faut-il donc entrouvrir?
Laisser aux livres la Mémoire
Ou parler de désobéir?

Ecrite en septembre 2004, Bonne sur Menoge
Inspiré par le poème « Compagnons des Mauvais jours » de Jacques Prévert, lorsque saisie de doutes, je pensais arrêter La Jongle des Javas.

Annecy - 2006

## Sous les plaintes

Album « Rêve d'Histoires » 2007

Sous les plaintes des larmes qui s'ajoutent aux armes
Sous les flambants lambeaux
D'où naissent les tombeaux
Sous l'œil avisé de l'Architecte vénal
Les paris se sont faits à grands coups d'arsenal

A qui veut, on en donne, de la joie, du spectacle
A qui crie, on ordonne le bâton de la débâcle
On s'en souvient des frontières,
Des limites de nos âmes
On en rit de nos frères en les gravant sur des pierres

Masse médias, masse d'Etat
Ignorance des combats
On rêve de sa petite vie
On meurt de sa petite mort

La clameur de la rue qui se fait ingénue
Sous les luttes qui s'effeuillent sur un dernier écueil
Entoure de sa chape, le plomb de nos ailes
Sans cesse nous rattrape quand nous sommes infidèles

A qui perd, on en prend la misère et la vie
De qui gagne, on s'éprend sans mémoire et parti
On se souvient du derrière de l'écran enneigé
On en rit des guerres en les mettant au passé

Masse médias, masse d'Etat
Ignorance des combats
On rêve de sa petite vie
On meurt de sa petite mort

Le matin du Grand Soir s'est couché un peu tard
Dans sa gueule de bois on y sculpte les lois
Sur le billot de sa foi, on y tranche nos poings
On s'enchaîne à nos rois sans y voir nos destins

Pour qui fait de son sein le berceau du combat
Pour qui fait à dessein l'esquisse d'aucunes lois
Je me souviens des frontières,
Des limites de mon âme
Je veux être des frères quand sonnera l'alarme

Masse médias, masse d'Etat
Ignorance des combats
On rêve de sa petite mort
On meurt de sa petite vie

Bonne sur Menoge, Automne 2004

## Album L'ere que tu bois – Studio Tavernier (26) – Septembre 2002

Au studio Dan a la guitare sur « Jeu de bush », Youssef a la darbukka sur « Croc Madame », Babette au violoncelle sur « Un brin » et « Clown de vie »
Et en off, Regis et Val, Frankie, et les clowns de la place ose herbes

## Theatre en rond- Sassenage 26.02.2004

Soiree « Ça ne tourne pas rond » suite aux mouvements sociaux de 2003
avec les Crise Carmen, La Tambouille, Fausses notes et chutes de balles
photos live Laurence Fragnol

## L'ENTREPOT – PARIS – AVRIL 2007

PHOTOS PAULINE BOURMEAU

**Les 10 ans de la Jongle des Javas / Avril 2000 – Drak'Art de Grenoble**

Avec Latrim, L' Atelier des Clots, la fanfare Touzdec, Alex Lateuf, Luc Quinton et la famille du Karkade , et tous nos amis benevoles !

Photos Laurence Fragnol

## Album "Vivre debout" Studio Probe Laze it ! – decembre 2011

Avec Yaume Lannoy, Benoit Rey, elie guegain, jean-baptiste huet, pascaline herveet, lea sarfati et philippe balze au son et realisation artistique et mixage

## Album « Vivre » – Studio 26B - Marseille – Mai 2014

Avec Benoit Rey, Yaume Lannoy, Xavier sanchez aux percussions et a la direction artistique, bernard menu et dede canet au son et mixage

## Juste

Album « Rêve d'Histoires » 2007

C'est pas énorme, C'est pas grand chose
Mais c'est une habitude
C'est pas soudain, C'est pas grand chose
Juste...

Entendre l'écho de ces pierres
Au fond
Juste

Tambouriner au creux de mes artères
Un chaos
Juste
Me sentir loin de toi

C'est pas la vie, Une petite mort
Mais c'est une habitude
C'est pas si doux, Une petite mort
Juste...

*Prendre mes cheveux en serpents*
*Comme Méduse*
*Juste*
*Devenir froide comme l'absent*
*Qu'on accuse*
*Juste*
*Me sentir loin de toi*

Râler, crier, lacérer
Déchirer, battre
Et s'abattre
Souffrir, courir, s'enfuir
Pour songer au retour

Ce n’est pas énorme,
C'est pas grand chose
Mais c'est une habitude

Ce n'est pas fou
Ce n'est pas sage
Juste...
M'y sentir loin de toi

Bonne sur Menoge, Automne 2004

## Tendre Tango

Album « Rêve d'Histoires » 2007

*J' pourrais chanter tous les tangos*
*Qui font d' l'amour une musique*
*Déchirer du dico les mots*
*Qui rendent l'amour hystérique*

Y a tous ces yeux qui s'écarquillent
Quand on s' balance sur les pavés
Qu'un doux vent nous entortille
Qu'on n' vit que pour un seul baiser

Y a pas quatre mains qui se ressemblent
Mais il y a celles qui s'apparaissent
Au détour d'un « je t'aime » qui tremble
Elles se confondent et se paressent

*J' pourrais chanter tous les tangos*
*Qui font d' l'amour une musique*
*Déchirer du dico les mots*
*Qui rendent l'amour hystérique*

Y a les matins qui se font soirs
Quand les étoiles dans ses yeux brillent
Quand on traverse le miroir
Que nos désirs sur nous fourmillent

Y a pas deux corps qui se ressemblent
Mais il y a ceux qui s'apparaissent
Aux contours tendres de l'ivresse
Ils se confondent et se caressent

*J' pourrais chanter tous les tangos*
*Qui font d' l'amour une musique*
*Déchirer du dico les mots*
*Qui rendent l'amour hystérique*

Y a les demains qui se font jour
Qui se dénouent avec délices
Quand le présent se vit toujours
Que nous rions de ses caprices

Y a pas deux vies qui se ressemblent
Mais il y a celles qui s'apparaissent
Sans se confondre elles se rassemblent
Se font rimer avec ivresse

Bonne sur Menoge, 26.10.2005. La 1ère pour mon Yaume.

ARTWORK DE JULIETTE
POUR L'ALBUM REVE D'HISTOIRES - 2007

## Rien ne sert de se souvenir, il faut agir a point

Album « Rêve d'Histoires » 2007

Il apparaît au coin du soir
Astronote en clé de sol
Décollant de sa mémoire
A bout de portée, il vole.
Les partisans de la Comédie
Qui veut qu'il rêve assis, là
Ils sentiront sans qu'il soit dit
Qu'il voit un film qu'eux ne voient pas.

Il s'envole au coin du noir
Vieil arpégiste des brouillards
Passant à travers son histoire
A bout de portée, il vole.
Les beaux passants d' la vie d'ici
Qui le regardent volant, là
Ils croiront sans qu'il soit dit
Qu'il voit un film qu'eux ne voient pas.

Il vole au coin du jour
A la seconde existante
Où le passé n'a plus cours
L'idée d'une minute le hante.
Pas de passants, pas de Comédie
Pour le voir courir après lui-même
Il partira sans qu'il soit dit
Comme un dans un film qu'on ne voit pas

A Monsieur Louvel, Allevard, 15.01.2007

## Chili
## Compilation d'ecrits sans lendemain

Album « Rêve d'histoires »

« La Vie est là quand on la sent intérieurement
Quand elle vibre là, au creux de mon dedans
Quand elle monte en moi jusqu'au bout de mes lèvres
Que mes mains s'envolent, que mes mots portent ma fièvre.

L'impulsion de mon souffle ne peut être un chapitre,
Les frissons de cette voix ne peuvent porter de titres
Ni de Gloire, ni d'artifices, pourvu que j'ai l'ivresse
Chaque soir de jouir, attendant qu'elle me délaisse.

Regarde mon corps qui s'étire et s'abandonne
Mes mains tremblent d'être si petites de ce qui résonne
Je me donne l'impression de me donner le choix
Un choix d'une vie sans entrave de la Raison

(...)

J'ai peur de dormir

(...)

Ecrits compilés et improvisés un soir de prises au studio l'Etable pour l'album « Rêve d'histoires », juillet 2007

## Goutte a goutte

Chanson inédite

1. Goutte à goutte dans la poussière
La pluie s'enfonce dans notre amer
On rit de toutes nos misères
On rêve le corps sans nos frontières

Doute à doute dans la doutière
Les yeux s'envolent dans les airs
On s'accroche les bâtons fânés
On carre les ronds de nos pensées

*Et dis-moi pourquoi on ne pourrait pas*
*Partir créer hors de ces rois*
*Dépendre le pendu de notre enfance*
*Vivre une rebelle adolescence ?*
*Dis-moi pourquoi on n'rirait pas*
*Le ventre rempli d'éclats de joie*
*Pourquoi on ne s'roulerait pas par terre*
*En s'tapant l'dos sur nos barrières ?*

2. Pouce à pouce dans la poussière
On dit stop au dernier verre de bière
On rame solo hors du caniveau
On plonge dans la rigole des Pierrots

La lune alune dans la lumière
On s'escapade à coups d'envies dernières
On s'rabiboche avec notre caboche
On dégaine notre côté sale mioche

3. Cendre à cendre dans le cendrier
La dernière dope du condamné
On brûle le jean de nos fesses
Dans une dernière volute d'ivresse

Passe, repasse dans la passoire
Sans un adieu, dans un bon soir
Et debout, droits sur le trottoir
Salut Dimey
1,2,3,
... on s'envole

Allevard, 30.12.07

1 .Il me regarde comme j'étais
Peut-être mieux comme je suis
Peut-être même qu'il me connaît
Plus comme celle qui se fuit

Ses yeux regardent à travers moi
Mais ils ne s'arrêtent pas
Ni aux jours, ni aux années
Me devinent femme d'une journée

*Et mon Dieu que c'est bon d'aller au crépuscule*
*Et Mon Dieu, que c'est bon contre cette Mort qui nous accule*
*Et mon Dieu que c'est bon de jouir de nos frissons*
*Sans trompettes ni tambours...*
*Avec Amour*

2. Il s'entiche de toutes ces manières
Qui font notre âge et notre vie
Que son désir brûle sa tanière
Qu'il agrippe mes mains de ses envies !

Ca y est, il retire son écharpe
Que c'est bon d'y deviner son cou
Sa peau ridée dans ce miroir
Sentir sa main sur mon genou

3. Après si longtemps de vide
Si longtemps d'amour muré
Notre tendresse se dévide
Seul le plaisir à relâcher

Il y a ces cotillons de doutes
Sur l'Amour qui se taît
Sur l'Amour qui se sait
Ce sont nos rêves sur la route

4. Il est six heures et je regarde
La chambre froissée, le ciel levé
Les murs que je devrais repeindre
Le vieux bouquet de fleurs séchées

Il est sept heures et je m'attarde
Sur le moindre son de son souffle
Le bruit centenaire de la pendule...
Je ne crains plus le crépuscule

Allevard, 30.12.07, Après la lecture de
« La femme coquelicot » de Noëlle Chatelet »

JOURS DE MAI- MAISON DE QUARTIER DES PAQUIS
1ER MAI 2009 - GENEVE

## Le cri

Album « Vivre debout » 2011

1. J'ai rêvé une nuit d'un cri
Qui venait du tréfonds de mon pays
J'ai rêvé une nuit d'un puits
D'où il puisait son Sarkozy

De gueule béante en gueules fermées
Les bras tendus et écartés
Des gueules noires, des lions blessés
Un puits de vies à crucifier

Mais le silence est d'or
Et dort bien mieux que nous

2. J'ai fardé mes murmures d'un soir
Avec du rouge et puis le noir,
Et je tenais dans mon regard
Les mains griffées par notre Histoire

Avec le temps va, tout fout l'camp
On ne saisit pas toujours l'instant
Mais j'avais en moi, à l'affût
L'incorruptible clameur de la rue

Mais le silence est d'or
Et dort bien mieux que nous

3. J'ai senti dans mon corps ce cri
Qui m'arrachait de mon lit
Je m'enivrais des pavés aussi
De leur odeur et de leurs bruits

Des pas courus, des pas feutrés
Foulant les bannières détrempées
Des mots qui volent, des libérés,
Comme un beau matin de juillet

Mais le silence est d'or
Et dort bien mieux que nous.

Commencée en 2007, terminée à Allevard, en août 2009

Perce-oreille – reignier 74 / Photo nicolas perrin

## Vivre debout

Album « Vivre debout » 2011

On pointait chaque matin le crépuscule de nos fièvres
On slamait nos rancœurs aux rythmes des machines
On n'ira plus attendre tout au bout de la grève
Nos longues vies ridées n'appellent plus de pudeur

Cela valait-il le coup de vivre à genoux ?
Cela valait-il le coup de vivre à genoux ?
Est-ce que ça valait le coup de vivre à genoux ?
Est-ce que ça valait le coup de vivre à genoux ?

On dépeint le soleil sur le mur de nos prisons
Parmi toutes nos voix, laquelle s'élèvera ?
Les regrets, les espoirs, les nuits blanches et les sons,
On parie sur la chance d'y trouver une voie

Cela valait-il le coup de les faire vivre à genoux
Cela valait-il le coup de les faire vivre à genoux
Est-ce que ça valait le coup qu'ils vivent à genoux ?
Est-ce que ça valait le coup qu'ils vivent à genoux ?

En se courbant l'échine, on se tait sous les lois
On aiguise la faux de notre mort dans l'âme
Ils décapitent nos valeurs et on garde le roi
Mais dans quelle Bastille trouvera-t on nos armes ?

Cela valait-il le coup de vivre à genoux ?
Cela valait-il le coup de vivre à genoux ?
Est-ce que ça valait le coup de vivre à genoux ?
Est-ce que ça valait le coup de vivre à genoux ?

Même au creux de nos vies, ou même de nos cellules
Que ce soit bruit de bottes ou bruits de nos misères
On embrasera nos tripes
Même au sommet de nos rêves !
Et on portera nos gosses
Pour qu'ils ressentent cette fièvre !

Vivre à genoux...
Vivre debout...
Vivre à genoux...
Vivre debout...

Allevard, 08.09.2010
Avec Juliette, si elle n'était plus sur le devant de la scène, nous avons fait ensemble des ateliers d'actions culturelles mêlant Ecriture, Peinture ; et Photo aussi avec Laurence Fragnol. C'est ainsi que nous avons pu, pendant une semaine, intervenir au quartier femmes de la Maison d'Arrêt de Chambéry. J'avais bien préparé mes ateliers. Ce qui me manquait comme information, c'était que nos participantes parlaient tour à tour colombien, bulgare, nigérian, ... Ce fût incroyable : dicos demandés à la bibliothèque qui était sur place, nous avons écrit, peint, partagé des féminités, croisé des vies. Dépeint le soleil sur les murs des prisons...

Album « Vivre debout » 2011

1. Un petit brin de fille
Qui habitait dans le même quartier
Avait la réputation croisée
Entre un bouledogue et une anguille

La démarche chaloupée
Le bruit de ses docks sur le pavé
Quelques bouteilles qui sonnaient
A chaque marche qu'elle montait

Je la rejoignais dans la nuit
A pas de louve, à cœur meurtri
Par ma dernière histoire d'amour
Que j'allais noyer dans l'oubli

2. Ca commençait par un petit verre
Juste avant qu'on ne déblatère
Sur ces nouveaux machos gauchos
Qui n'méritaient que l'caniveau

Au second verre, on s'exaspère
D'être retombées dans l'même travers
De porc, de sexe et de romance
Mais sans amour, maigre pitance

Une fois vidé tout notre sac
Des bouteilles qu'on avait achetées
On était beaucoup moins loquaces
Et c'est là qu'on allait danser

On aurait pu mourir demain
Qu'on aurait fait le même chemin
Même si demain n'est pas dimanche
Ca n'avait pas beaucoup d'importance

En s'couchant un de ces 4 matins
On pensait déjà au cinquième
Et le midi en s'éveillant
On renvoyait le prince charmant !

On enflammait les pistes de danse
On faisait les Ze Nanas en transe
En prenant bien soin d'éviter
Le regard du voisin d'palier !

On mordait ceux qui s'approchaient
Et sur les slows, on pogotait
On s'faisait belles pour le soir
En n'ayant pas beaucoup d'espoirs

On aurait pu mourir demain
Qu'on aurait fait le même chemin
Même si demain n'est pas dimanche
Ca n'avait pas beaucoup d'importance
Les Ze Nanas !

Allevard, 4.09.2008
Pour les Ze nanas de mes nuits grenobloises,
Juliette, Joanne et Sandrine.
Chantée en duo avec Pascaline Herveet dans l'album fantôme en 2011, avec autant de son talent que de fous rires

1. Il s'est arrimé au trottoir
Devant lui, son grand chien noir
La voix fumée et balayée
Comme les papiers qui s'envolaient

Y a Madame Jaune qui passe sans voir
Son vieux cabas rempli d'espoir
Y a petite Rouge qui lui sourit
Tirée par la vie des Grands Gris

2. Y a là presque autant de pavés
Que de chansons qu'il aurait à chanter
Hors de ces murs, il est toujours midi
Et ça rassure quand on est d'ici
D'oublier la pluie

Il manque peut-être le singe mécanique
Pour que la chanson se fasse un peu de fric
Les oreilles ont toutes les stores baissés
Elles sont bien trop dures à apprivoiser

3. Lui, il roule des mécaniques dans la Grand'rue
Tous les regards obliques ne l'entendent pas
Mais pour un seul sourire, pour une fille apparue
Il ne quitterait jamais ce caniveau perdu

De sa boîte à cartons, il a fait des chansons
Des tonnelles de manivelles
Qui nous donnent des ailes

Quand ma vie tourne en rond, de milles façons
Je revois lui, son chien, son sourire de gamin

Allevard, 04 février 2008

Pour mon ami Sylvain Gouget, dit Latrim.
On s'est rencontré en 1998 dans les rues de Grenoble où tous les 2, on chantait. Lui Grand'Rue, moi Rue Barnave ou rue Lafayette. Il débarquait de Perpignan avec la Moon. Il a créché chez moi quelques jours. Puis finalement, il est resté à Grenoble, l'animal.
Le singe mécanique fait référence à une blague entre nous. A l'époque l'orgue de barbariste Crève Cœur jouait pas loin de nous, et avait un petit singe genre « Rémi sans Famille » qui se remontait et claquait ses petites cymbales pour attirer le public. Ca nous faisait marrer. Et pour tout avouer, avec le Crève Cœur, on ne voyait pas vraiment la rue de la même manière.
Chanson enregistrée au studio Probe Laze It avec la voix sublime de la soprano Léa Sarfati, merveilleux cadeau qu'elle nous a fait. Ça l'avait bien fait marrer, Sylvain, qu'une Soprano chante sur une chanson qui lui était dédiée, lui avec sa belle voix éraillée. Il est parti décrocher la lune en mai 2015.

Latrim avec La Moon – 1998 – Grenoble -

## Et Dire

Album « Vivre debout » 2011 / Album « Vivre » 2014

Et dire que nous pensions
Être les maîtres de nos vies.
Et dire que nous pensions
Graffer le monde de l'ennui.

Avec l'orgueil des jeunes coqs,
Nous nous pensions plus forts que tous.
Avec le nombre de la meute,
On écrasait les garde-fous.

Et dire

Nous vivions dans des maisons
Qui n'existaient qu'encadastrées.
Nous en faisions nos paradis artifices,
Elles qui nous accueillaient.

Nous leur redonnions leurs bruits,
Elles nous insufflaient leurs âmes
Au milieu de la rue,
Un toit est la plus sûre des armes.

Et dire

Et dire que nous déchirions l'air
De nos insomnies.
Et dire que le passé
Sous chaque étoile nous rattrapait.

Avec la rancune de la solitude,
Nous nous rêvions en compagnie !
En architectes de l'Absolu,
On s'enchainait à nos idées !

Nous vomissions sur les murs
Toutes ces morsures mal digérées.
Nous tenions en emblème
La musique sur les pavés.

Et nous étions cyniques jusque dans nos amours
Et nous volions notre vie en fraudant les toujours

Et dire

Et dire qu'on était majeurs
Comme le doigt que nous levions
A la face de ce monde
Qui nous tordait comme des cons !
Et dire que nous ne voulions rien changer de demain
Que demain nous a pris, nous a mis dans ses trains

Et dire !

Allevard, un jour de septembre 2008
Pour mes premières années grenobloises avec la Petite
Compagnie Itinérante, sur les pavés, avec nos rêves
communautaires

## Je vis encore

Album « Vivre debout » 2011 / Album « Vivre » 2014

Je rêve du ciel
Comme d'une toile d'un chapiteau envolé

Je rêve de silences inspirés
Comme d'un soupir de mots

Je rêve encore de cri dans ma voix
Comme un cœur éclaté

Je rêve encore de la terre en scène
De mon dernier écho

Je vis encore
Je vis encore

Je sens la floraison de nos soleils
Qui nous brûlaient la peau

Je sens les larmes sur mes joues
Qui m'arrachaient les mains

Je sens encore la poussière des lumières
Qui me remonte dans le dos

Je sens mes pieds s'agiter à vouloir
Marcher vers demain

Je vis encore
Je vis encore

Je me brûle de ne savoir
Où mon âme devra se poser

Je me brûle encore, chaque jour,
Au miroir de mes efforts

Je me brûle encore, d'airs en airs,
De rages en scènes montées

Je me brûle encore
De vouloir tout vivre et de vivre encore

Je vis encore
Je vis encore

Je vole encore
Au-dessus de la baie que je voie dans mes songes

Je vole
Sans mes ailes enflammées au-dessus de vos vies

Je vole encore, je rêve encore,
Je sens encore
Et je plonge
Pour éteindre le feu qui gouverne ma vie

Je vis encore

Le Cube rouge, Allevard, 21.09.2010
Le jour où elle a été composée, Micha jouait un rythme à l'épinette des Vosges sur lequel on a improvisé musique et texte. L'épinette n'a jamais rejoué, mais le rythme était né.

Et que monte ma colère
Et que monte mon cri !

Mais derrière ces vipères
Combien d'autres nids ?

Pardonnez-moi, pardonnez-moi
De n'être que moi
Mais j'apprends à vous voir,
A avoir envie de vous revoir

Et je pense, et je suis
Et mes errances, et mes oui !

Et que monte ma sève
Et que monte la vie !

Et mes deux pieds sur terre
Qui écrasent les nids...

Je me moque de moi
Ne m'en voulez pas
Mais j'apprends à me voir
A avoir envie de me revoir

Et je pense
Et je suis
Et mes silences et mes bruits !

Et que monte la musique
Qu'on libère les non-dits !

Et que monte la musique !
La sève et l'envie !

On apprendra à se voir,
A avoir envie de se revoir !

Et l'on pense, et l'on suit
Nos errances et nos oui !!

Le Cube Rouge, Allevard, Décembre 2010

PERCE-OREILLE – REIGNIER (74)
PHOTO : NICO PERRIN

Je cherche, je fuis, les mots m'assassinent,
Je respire comme un rat

Je suis portée par des mains
Qui décident de moi, comme un rat

Et je m'éloigne de la faux
Qui me réduirait au silence

A force de m'arracher mes racines,
Ils m'inspirent un combat !

La liberté me frôlait
Regardez-moi comme un rat
A Deraa

Ma mère, je lis, relis tes mots
Écrits pour moi, qui survivra :

*« Le monde entier parle de nous*
*Mais nous sommes seuls ici-bas !*
*Faufile-toi entre les grilles, envole-toi ma fille*
*Avec ta plume, replante nos racines*
*Au bout de tes bras ! »*

La liberté nous frôlait
Regardez-moi comme un rat
La liberté nous frôle à Deraa !

Je trouve des portes de sorties
Qui se referment à l'envie

J'écris, je lis, je vois qu'ici
Je peux lutter sans interdits

J'immole la camisole
Qui enserre mon humanité,

Et je porte en moi les cris de paix
De nos femmes à Deraa !

Je sais, je sens, j'entends la voix
De mon village, Ô Syrie !

J'entends d'ici mon peuple qui gronde
Et l'impuissance de vos ondes

Ils peuvent brûler nos terres
Et même bombarder nos mères,
Mais ce qu'ils ne savent pas,
c'est qu'ils sont faits comme des rats !

La liberté nous frôlait
Regardez la bourgeonner !
A Deraa !

Le Cube Rouge, Allevard, 25.05.2012
A la révolution de Jasmin qui commença à Deraa.
15 jeunes qui avaient juste graffé sur les murs de leur école
leur colère face à Bachar Al- Assad. Emprisonnés, torturés.
Devenus bourgeons du Printemps Arabe.

## Te quiero

Chanson inédite

Ya no lo quiero, es cierto, pero cuanto lo quise.
Mi voz buscaba el viento para tocar su oído.

La misma noche que hace blanquear los arboles.
Los de entonces, ya no somos los mismos.

***Refrain***
Te quiero mi vida,
mi amor, mi corazón

Me quiso, a veces yo también la quería.
Mi voz buscaba el viento para tocar su oído.

Eso es todo.
A lo lejos alguien canta.
A lo lejos.
Mi vida

***Refrain***
Te quiero mi vida,
mi amor, mi corazón

el secreto de amar, es amar sin secretos...
la verdad duele...pero la mentira mata...

Eso es todo.
A lo lejos alguien canta.
A lo lejos.

*Je ne le veux pas déjà, c'est certain,*
*mais combien je l'ai voulu.*
*Ma voix cherchait le vent pour toucher son oreille.*

*La même nuit qui fait blanchir les arbres.*
*Nous ne sommes déjà pas les mêmes.*

*Je t'aime, ma vie,*
*Mon amour, mon cœur*

*Il m'a aimé, parfois je le voulais aussi.*
*Ma voix cherchait le vent pour toucher son oreille.*

*Cela est tout.*
*Au loin quelqu'un chante.*
*Au loin.*
*Ma vie*

*le secret d'aimer est d'aimer sans secrets ...*
*la vérité fait mal ... mais le mensonge tue ...*

Le Cube Rouge, Allevard, Juillet 2012
Chanson improvisée sur la musique caliente qui sortait du local, avec des bouts de textos amoureux chopés sur le net. Une vidéo sur le net est d'ailleurs la seule preuve de cette idée ...caniculaire

LA PONATIERE – ECHIROLLES –2012

SIMON, BENOIT, YAUME, CELINE : PHOTO LAURENCE FRAGNOL

## Les neons

Album « Vivre » 2014

Les néons défilent et les murs s'allongent
La voix des mensonges en moi se faufile
Les vrais mots me tournent le dos
Et l'incertitude ruisselle
Sur ma peau

Les néons défilent, les blouses s'entremêlent
Moi, je ne vois qu'elle, qui me sait si fragile
Dehors m'est interdit et la fenêtre est opaque
Et moi calme paranoïaque, je sens mon cri
Qui brise l'incertitude

Doucement, incidemment
Elle s'insinue en moi
Doucement, Incidemment,

Les néons défilent,
Les sons sourds me serrent les tempes
Si c'était mon tombeau, mon estampe,
Si c'était le dernier soleil et mon dernier demain
Si seul ce silence me tenait la main
Et vient l'incertitude

Je l'ai repoussée, mais amoureuse elle revient
Elle s'enlace à mes pieds, sans cesse elle m'étreint
Mais il y a ces perles de rire, ces amours,
Ces souvenirs
Me reste l'incertitude
Du chemin

Doucement, incidemment
Elle s'insinue en moi
Doucement, Incidemment,

Puis le tombeau s'ouvre et les mots s'envolent
Le lit voyage en dehors du sol, l'espoir me découvre
Cachée dans un pli du drap, serrée dans ma solitude
Qui brise mon incertitude

Doucement, incidemment
Elle s'insinue en moi
Doucement, Incidemment

Le Cube Rouge, Allevard, 16 Août 2012
Suite à une visite aux urgences pour un AIT au CHU de Grenoble le 15 août. Ça fait toujours réfléchir à notre rapport au fil ténu de la vie...

Coleo de Pontcharra (38) 2012
Photo : Sarah Torecillas

## Leave me crazy

Album « Vivre » 2014

Je ne sais pas ce que je suis supposée dire
Replier les pensées au fond de moi ou surgir
Epicer mes mots, les acérer face au miroir
Rogner les alentours pour réduire mon envie de croire

Je ne sais pas ce que je suis supposée saisir
Les ponts semblent se briser et les rives d'éloigner
Les remous se forment en tornades qui m'aspirent
Le pays d'Oz n'existe pas,
Je ne pourrais pas t'y emmener

Leave me crazy
Let me burn
Leave me crazy
Let me be alive

Je ne sais pas ce que tu as imaginé
Ce que tu as crû lire derrière mes lèvres
Sans que ma langue ait fourché
Pour que tu m'arraches ainsi la plèvre

Je ne sais pas ce que je suis supposée t'offrir
Une vie cadencée par les certitudes et les plaisirs
Sans que le doute ne s'y installe jamais
Sans toucher à la flamme, sans jamais se cramer

Leave me crazy
Let me burn
Leave me crazy
Let me be alive

Je ne sais pas ce que tu es supposé dire
Je ne rêve de rien, je n'attends plus de contredire
Je quitte le pas de porte et je trace sur le trottoir
Il m'emmènera peut-être, lui, de l'autre côté du miroir

Le Cube Rouge, Allevard, Septembre 2012
Ce texte est vraiment né de l'ouragan qui a frappé la Jongle en 2012 avec la perte irrémédiable de notre album Vivre debout, et l'éclatement du groupe. En tant que chanteuse de cette équipe, mon rêve était vraiment de mener mes potes et moi le plus loin possible. Ne pas tenir cette promesse était douloureux. Ce fût comme une histoire d'amour où l'on ne peut plus rien promettre, où le Pays d'Oz se fait inaccessible.

## Tout semble

Live 2018

Tout semble s'étendre
Et la nuit s'éteindre
Les roses s'entrouvrent
Pour laisser le temps

Tout semble s'étendre
Et la nuit s'éteindre
Même les roses s'ouvrent
Pour humer la vie des gens

Tout
S'étend pour t'attendre
Tout s'étend pour te comprendre

La nuit s'éteint
Le jour s'étend
Son voile noir recouvre
Mes tempes, va t'en !

Les roses se ferment
Je n'oublie rien
De mes problèmes
De mes chagrins

Tout
Pour atteindre
Sans y croire
Tout
Pour te comprendre
Sans trop y croire

La nuit se lève
Et je me couche
Je ne fais plus de rêves
Sans qu'on y louche
Sur mes espoirs

Sans trop y croire
Je tends les lèvres
Pour mieux t'avoir

Tout
S'étend pour t'attendre
Tout s'étend pour te comprendre

La nuit s'étend
Et je me lève
Comme dans mes rêves

Les roses s'entrouvrent
Rouge sang, roulant
Sur ton visage
Qui n'aura plus d'âge

Et tout
Ne saura comprendre
Ni m'attendre
Tout
Me fera descendre
Sur tes cendres

Le Cube Rouge, Allevard, 01.10.2012
Vengeance d'une femme sous le joug d'un pervers narcissique, partie d'une improvisation entre Touma à la batterie et Yaume à la basse.

## Comment pourrais-je ?

Chanson inédite

Comment pourrais-je
Comment pourrais-je vous dire ?
Comment pourrais-je
Comment pourrais-je vous dire ?

Mes amours d'une nuit, mes recherches d'une vie
Comment pourrais-je vous dire la chaleur de sa peau ?
Comment pourrais-je vous dire
Que je sens dans ses mots
Quelque chose enfin
Qui me tire vers le haut ?

Comment pourrais-je
Comment pourrais-je vous dire

La peur de ces interdits
Mais l'amour qui m'étreint
La chaleur de ces nuits
Où je me couche sur son sein
L'ivresse de voir le matin
Passer sous notre lit
Le besoin de lendemains
Sous les regards d'autrui

Comment pourrais-je
Comment pourrais-je vous dire

La pulpe de sa bouche
Et puis tout ce qui se tait
Que je ne suis plus farouche à chacun de ses baisers
Que j'ai envie de promener
Partout, à chaque terrasse
Au détour d'un café
Notre amour, qu'ils disent dégueulasse

Comment pourrais-je
Comment pourrais-je vous dire

Et puis tous ces projets
Que l'on bâtit chaque jour
Que ne pourront balayer
Ceux qui fuient notre amour
Et si je vous parlais
De tout ce dont nous parlons...

Le rire de ses envies
Mon reflet dans son miroir
Ses mains qui me rassurent
Son histoire, son futur
Et notre envie d'y croire
D'embrasser cette vie...
Le rire de nos envies
Notre enfant face au miroir
Nos mains qui le rassurent
Son histoire, son futur
Et notre envie d'y croire
D'embrasser cette vie...
Quand pourrais-je ?

Le Cube Rouge, Allevard 29.10.2012

## Que reste-t'il de nos memoires ?

Chanson inédite

Que reste-t-il de nos mémoires ?
Maintenant que ma tête va dans le brouillard
Que reste-t-il de mes amis
Quel bout de ma vie je garderai

Qui me reviendra à la fin des nuits
Devant quel miroir je crierai
Que reste-t-il de ma jeunesse
De mon regard sur la tendresse

Que reste-t-il de mes jeux
Est-ce que je sais encore jouer à deux
Que reste-t-il de mes guerres
Reviendront-elles d'hier
Que reste-t-il de mes joies
De leurs porcelaines au bout des bras

Que reste-t-il de mes mains
Est-ce qu'elles écriront mes mains
Ma nostalgie de demain
Mon présent d'hier
Ma colère d'aujourd'hui

Le Cube Rouge, Allevard 26.03.2013
Avec mon amie et photographe Laurence, on a travaillé pendant 3 mois sur un projet avec l'association Un toit pour 2, qui permet à des personnes âgées isolées d'héberger des étudiants et créer une relation vraiment unique. Toutes les deux, nous avons fait le tour de quelques « duos » ainsi constitués dans les deux Savoie pour recueillir leurs témoignages. J'ai écrit des poèmes pour chacun de ces duos, en me basant sur leurs histoires propres, et Laurence les prenait en photo. Ces rencontres m'ont beaucoup touchée. Une exposition a présenté ce travail sur Chambéry.

## ADN

Album « Vivre » 2014

Il a trouvé dedans sa poche
Des histoires au fil des notes
Il a reversé ses larmes
Dans un bonnet à tête de mioche
Qui n'était pas dans la même botte

Il a cueilli des fleurs de sable
Des souvenirs de mères perdues
Il a rejeté les armes
Tous ces instants insupportables
Qui pavent sans cesse les rues

*Toutes les synapses de son âme*
*Toutes les cellules capitales*
*Ont glissé de son égo*
*Toutes les veines de sa flamme*
*Toutes les membranes cardinales*
*Ont glissé de sa peau*

Il a posé son cœur mal fait
Ses amours, ses silences dits
Il a rompu le vacarme
Dans son bonnet à ressasser
A brûlé son dernier cri

Il a lancé devant sa porte
Ses godillots de juste noce
A répondu à l'alarme
Toutes ces humeurs qui l'exhortent
A s'envoler en carrosse

*Toutes les synapses de son âme*
*Toutes les cellules capitales*
*Ont glissé de son égo*
*Toutes les veines de sa flamme*
*Toutes les membranes cardinales*
*Ont glissé de sa peau*

Il a laissé sur son sillage
Son manteau lourd de sa haine
Il a reversé ses larmes
Dans une mer qui n'a plus d'âge
A noyé son ADN

Allevard 11.12.13

## A L ENVERS

Album « Vivre » 2014

A l'envers de ses murs
A l'envers de ses reins
J'ai jeté en pâture
Mes espoirs de chiens

J'ai rongé mes blessures
Mais tu n'y es pour rien
Ne crie pas, je t'assure
Je reviendrai demain

J'ai creusé sous la terre
J'ai creusé sous les cieux
A son rythme, je m'enferre
Je compte toujours pour deux

Même si je l'indiffère
Même si tu es mieux
Je me coucherai à terre
Pour revenir demain

*Là où se pose*
*Là où s'oppose*
*Le son de ma voix*
*Le rythme de ses pas*

A l'envers de ses nuits
A l'inverse de mes jours
J'ai trainé mon ennui
A hurler pour les sourds

Ma niche est sous la pluie
Et ma laisse sous l'amour
Ne tire pas je t'en prie
Mon garrot est trop court

J'ai construit une terre
J'ai construit des toujours
Je ne sors plus de l'enfer
Je veux être de sa cour

Même si je l'indiffère
Même si tu es mieux
Je me coucherai à terre
Pour revenir demain

Allevard 11.12.13

## Pandora

Album « Vivre » 2014

Oh regardez ce pavé souillé
Comment vais-je expliquer ça à mon fils ?
Oh regardez cette potence de condamné
Comment lui dire qu'on meurt ainsi ?

Il y a un goût de misère dans les rues de Paris
Il y a un des âmes délétères dans ce pays
Comme un instinct grégaire derrière tout ce bruit
Comme un racisme rance en sursis

Oh regardez ce pavé souillé
Comment vais-je expliquer ça à mon fils ?
Oh regardez cette potence de condamné
Comment lui dire qu'on meurt ainsi ?

Il y a une rage amère au bout de nos bras
Des luttes bafouées par leur Troisième Voie
La Bête immonde veut s'octroyer l'avenir
Et les médias la laissent ressurgir

Oh regardez ce pavé souillé
Comment vais-je expliquer ça à mon fils ?
Oh regardez cette potence de condamné
Comment lui dire qu'on meurt ainsi ?

Il y a ces discours brandis face aux écrans
Les crânes rasés par la connerie et le néant
Ces vents de Pandore qu'ils ont déchainés
Et qu'on rattrapera jusqu'au dernier

Allevard, 06.06.2013. Hommage à Clément Méric, mort le 5 juin 2013 sous les coups de skinheads du mouvement Troisième Voie, qui sera dissout.

## Prends-moi dans tes bras

Chanson inédite

Prends-moi dans tes bras
Ne ris pas de mes émois
Serre-moi encore une fois
Et dis-moi que je suis à toi

Je voudrais toujours te faire sourire
Mon Amour
Mais laisse-moi rire
Quand tu crois me faire souffrir

Je te murmure et te sussure
Mets ton armure, ne sois pas si sûr
Je te transfigure, et te sulfure
Et je t'assure que je me censure

Je voudrais toujours te faire sourire
Mon Amour
Mais laisse-moi rire
Quand tu crois me faire souffrir

Tu ne sais pas l'abracadabra
Qui m'a menée jusqu'à toi
Tu ne connais pas du bout des doigts
La Barbara qui vit en moi

Je voudrais toujours te faire sourire
Mais laisse-moi rire
Quand tu crois me faire souffrir

J'ai traversé bien des palais
Eté brûlée sur les bûchers
J'ai inventé des princes aimés
Mais aucun d'eux ne te valait

J'ai séparé des océans entiers
J'ai même prié, j'ai même gelé
J'ai même crié au monde entier
Que j'existais mais je me noyais

Je me berçais toujours aux confidences
Aux illusions à contrejour, et sans humour
J'ai même joué avec l'amour
N'abusais que moi, à l'évidence

Prends-moi dans tes bras
Sens comme je suis à toi
Ne ris pas de mes émois
Ne me rejette pas, toi

Prends-moi dans tes bras
Ne ris pas de mes émois
Serre-moi encore une fois
Et dis-moi que je suis à toi

Je voudrais toujours te faire sourire
Mon Amour
Mais laisse-moi rire
Quand tu crois me faire souffrir

Allevard 24.10.2014

## Ô MON FRERE D'ARME

Live 2018

Ô mon frère d'âme !
Ô mon miroir, mon fil rouge !

Je me souviens les disques
Qui égrenaient les heures
Comme un lent sablier
Aux sanglots longs de l'hiver

Je me souviens cette tendresse
Echappant aux discours
Je souviens de ces paresses
Echappant à l'amour

Ô mon frère d'âme !
Ô mon miroir, mon fil rouge !

Te souviens-tu de ce froid
Qui s'enroulait à nos corps
Que nous combattions par le rire
Et les volutes de trompe-la-mort
Te souviens-tu le chant du tram
Qui n'a jamais sifflé trois fois
Qui se couchait bien avant
Que ne s'éteigne la télé
La dernière cigarette
Le dernier couplet

Ô mon frère d'âme !
Ô mon miroir, mon fil rouge !

Je me suis rappelée souvent
L'air de nos nuits, le souffle du jour
L'amitié naissante et notre jeunesse
L'odeur de ton café et la saveur de nos idéaux
Je me suis souvenue longtemps
De la plage sous la pluie et des toujours
Les routes des nuits d'ivresse et la beauté des mots

Ô mon frère d'âme !
Ô mon miroir, mon fil rouge !

De ces longues années d'absence,
Ne sont nés aucun regret
Aucun remords de ces silences
Juste un pont à traverser

D'autres miroirs, d'autres amours
Se sont posés, là, sur cette place vide
Et sans banderoles, et sans tambours
J'ai finalement cru à un astéroïde

Ô mon frère d'âme !
Ô mon miroir, mon fil rouge !
Ta place n'est jamais vide.

Allevard, 14.05.2013
A Julien, mon fil rouge depuis 2000

## La jongle en live : L'Illiade de Seyssinet (38)

Photos live Laurence Fragnol / Photo Off Noir et blanc Jessica Calvo

photo Celine – Bal des fringants (lyon 2018)

Il y a des hivers
Qui nous brisent les bras
Qui sortent leurs serres
Et nous lâchent dans l'effroi

Il y a des sirènes
Qui chantent si bas
Que nos cœurs se déchaînent
Pour entendre leurs voix

Il y a des je t'aime, je t'aime, je t'aime
Il y a des combats
Il y a des quand même, quand même, quand même
Il y a nos ébats

Il y a ces murmures
Qui se glissent sous les draps
Qui font tomber les murs
Et dirigent nos pas

Il y a ces silences
Empruntés à la vie
Ces bulles de souffrances
Qui échappent à l'ennui

Il y a des je t'aime, je t'aime, je t'aime
Il y a des combats
Il y a des quand même, quand même, quand même
Il y a nos ébats

Il y a sur la scène
Des mémoires qui se noient
Et des amours bohêmes
Et des songes d'une fois

Il y a dans nos mois
Des histoires qui se saignent
A éviter sans effroi
La double peine

Il y a tes je t'aime, je t'aime, je t'aime
Il y a nos combats
Il y a nos quand même, quand même, quand même
Il y a nos ébats

Il y a dans tes bras
Un été qui se lève
Avec tout l'apparat
De la force de nos rêves

Il y a dans tes yeux
La mer qui se déchaîne
Des sirènes de feux
Qui me brisent les veines

Il y a tes je t'aime, je t'aime, je t'aime
Il y a nos combats
Il y a nos quand même, quand même, quand même
Il y a nos ébats

Allevard, Novembre 2013
A mon Yaume avec qui je conjugue la chanson La Vie d'Artiste de Léo Ferré depuis 2004.

On se lève d'un pas gauche
On nous prête de la débauche
Des corridors enfumés ou des amours dégoupillés
Des mirages et des espoirs, une vieillesse ennemie
Quelques jolis comptoirs, et des amis à l'infini.

On s'habille d'un geste lent.
Ce matin, on a le temps
On s'accorde du tempo, on se revoit bien maquillée
Et des lumières et des miroirs,
*« Quelle est la plus belle aujourd'hui ? »*
Aujourd'hui ? On se sent couard,
Et des ennuis à l'infini.

Une vie de pas pareil

On s'habille d'enfance et de romances
On a comme une accoutumance
Toujours de quoi y croire, et ne pas avoir de choix
Créer les exutoires et ressembler le plus à soi

On lève les doutes comme d'autres le camp
Et surtout on le fait le plus rapidement
On n'analyse aucun des boudoirs
Où notre vie patiente chaque soir
On écrit et décrit sur les couloirs,
Et certains nous rangent au placard

Une vie de pas pareil

On habille nos rêves d'un pas gauche
On a l'impression de n'être qu'une ébauche
Mais finalement, finalement,
Cela nous plait, d'être imparfait
Mais finalement, cela nous fait
De bien jolis méfaits.

On a des vies de pas pareil
Des vies de sans sommeils
Des musiques en guise de veines,
La métaphysique pour notre déveine
On a un côté un peu Cheyenne,
Mais on l'aime cette chienne
De vie
De pas pareil.

Allevard, 04.02.2015
A tous les artistes et techniciens qui ont cette vie de Pas Pareil

Ivres, on envie la lune
De se croire si belle
On s'amarre à ses dunes
On ne voit qu'elle
Sans questions, ni remords
On y tire des échelles
On y retrouve nos morts
Dans sa balancelle

On navigue sur les toits
Où toute eau devient Seine
On larme sans rames
On écope nos peines
Sans questions, ni remords
On fabrique nos échelles
On y retrouve nos morts
Dans notre citadelle

On lâche l'ancre à la lune
On s'élève au soleil
En Icare de fortune
Dans un demi-sommeil
Sans questions on s'y tisse encore
Des échelles en guise d'ailes
Et de nouveaux ports
Dans notre citadelle

Allevard, Juillet 2015

Il pleure sur la lune
Il pleure des étoiles
J'ai plein d'étoiles en bas de chez moi
Qui refont la vie en multicolore
Qui bousculent les vies inodores
Qui te rappellent doucement à moi

Il pleure sur la lune
Il pleure des étoiles
J'ai plein de planètes dans les yeux
Qui m'amènent dans un tout autre ailleurs
Qui accueillent les nombreux voyageurs
De mes rêves
Qui te rappellent doucement à moi.

Aux rêves !
De ceux qui brûlent, de ceux qui volent
Des ridicules et des frivoles !
Aux rêves !
Debout et fiers
Jusqu'au bout, sans trêve !

Il soleille sur la lune
Il soleille des étoiles
J'ai plein de lunes au dessus de moi
Mais aucune ne m'importune
Mais aucune ne m'est commune
Elles me rappellent doucement à toi

Tu soleilles sur la lune
Mon ami, au milieu des étoiles
T'as mis la lumière au creux de tes voiles
T'as pris le large pour nous voir naviguer
T'as pris la barge pour nous voir dériver
Pour veiller à nos rames
Pour que nos arts restent nos armes

Aux rêves !
De ceux qui brûlent, de ceux qui volent
Des ridicules et des frivoles
Aux rêves !
Debout et fiers
Jusqu'au bout
Je t'en fais la promesse

Allevard, de Juillet à Septembre 2015
Pour l'envol vers la lune de mon ami Sylvain Gouget, dit Latrim
Le jour du festival Chap à Chap, avec des clowns et des musiciens sous ma fenêtre, un samedi de mai 2015...

De ces oiseaux qui tombent
Nous ne parlerons pas
Sur ces roseaux qui sombrent
Nous ne pleurerons pas
De ces âges déchus, de ces soleils étouffés

.... Chut

Ces flots de tailleurs gris
Ces marées humaines
Nous y taillerons nos nuits
En se marrant de vos haines.
Et sous ces branches qui s'élèvent
On pendra nos regrets
Aux griffes de nos sourires.

S'il est vrai que l'on est rien
S'il est vrai qu'ils ont tout
De ces mains qui nous étouffent
Nous ne parlerons pas.
De ces puissances déchues, de leurs mensonges étouffés

... Chut

Nos tournesols qui ravivent
Les marées humaines
Ce sont les frontières qu'ils exilent
En ruinant toutes vos haines.
Et sous les branches qui s'élèvent
On y pendra vos regrets
Aux griffes de nos sourires.

Sous les voix de ces ombres
Nous ne marcherons pas
Des luttes sous les décombres
Nous entendrons les voix
Nous arracherons l'impossible
Nous en ferons notre route

Des grains de sable sur l'oreiller
Asphyxiant les pavés
Des étoiles à accrocher
Plus haut que leurs sommets
Face à la mer qui s'élève
On criera nos Jamais
Aux griffes de nos sourires

Allevard 20.06.2016

Ils musèlent les fleurs, Ils matraquent les nez rouges
Ils bétonnent les peurs, ils désherbent les cours
Ils font naître des rumeurs,
On s'enferme dans les bouges
Ils enseignent à 20 heures,
On en oublie de faire l'amour

Allons-nous élire Mark David Chapman ?

Le FHaine, le repli, la violence, sont les cris,
Et les armes du craintif, du paumé ou du lâche.
L'offense ne doit pas soumettre la démocratie
A nos peines engendrées sous le feu des Kalach.

Qu'elle était belle Marianne, quand elle était debout
Qu'elle embrassait Charlie, amoureuse transie
Qu'elle promettait de n'être jamais à genoux
A la mémoire de ses clowns tués par tant de folie.

A l'opportunisme de la marseillaise
Je choisis les landes et les mauvaises herbes
L'éducation, les cultures, l'ouverture et le Verbe
Et la musique au silence des charentaises.
Allez-vous élire Mark David Chapman ?

Allevard, 8.12.2015, suite aux attentats de 2015.
Notamment celui contre l'équipe de Charlie Hebdo.
Suite à la montée du FN aux élections départementales et régionales de 2015…

La JOngle & Beau Sexe
avec Xavier Bray et Virgile Pegoud
The World Mountain Tour
Juillet 2017 et 2018

Ami-e-s, je vous salue
Et vous esquisse révérence
Je souffle sur nos élégances perdues

Je mets dans ce regard
Tous nos humours déchus
Tout ce qu'on a estimé illusoire

Ami-e-s, je vous rejoins
Je réponds à l'invitation
A frayer de nouveaux chemins

Je lis des mots sans fond
Trous noirs où se perd
Notre manque d'autodérision

Il faut continuer à s'imaginer plus grand
Même quand notre reflet nous semble si petit
Il faut continuer à imaginer plus grand
A allonger nos bras pour embrasser
Plus encore

Ami-e-s, je vous salue
Je vous dis chapeau bas
D'avoir autant combattu

Je n'ai rien du courage
Qui sait éteindre les doutes
Mais je m'inspire de la force des sages

Ami-e-s je vous salue
Vous souhaite bonne route
Mettez donc vos cœurs à nu

Ami-e-s je vous salue
Soyons pour la folie
Ne lâchons rien aux doutes

Il faut continuer à s'imaginer plus grand
Même quand notre reflet nous semble si petit
Il faut continuer à imaginer plus grand
A allonger nos bras pour embrasser
Plus encore

Ami-e-s, je demande grâce
Envol vers les possibles
Et Frontières qu'on efface

Je fabrique à tout va
Echelle pour la lune
Aéronefs pour incrédules
Je balance à tout va
Poussières d'étoiles filantes
Aqueducs pour funambules

Il faut continuer à s'imaginer plus grand
Même quand notre reflet nous semble si petit
Il faut continuer à imaginer plus grand
A allonger nos bras pour embrasser
Plus encore

Allevard, Septembre 2017

## CLOWN DE VIE - 2001

Un air d'accordéon - Clown de Vie -
Fiston- La Jeunesse
(chanson cachée Le Bistroquet)
Enregistré par Dan Bartoletti
Peinture : Juliette
Avec Céline Dumas & Juliette Pegon

## L'ERE QUE TU BOIS - 2002

Jeu de Bush - Clown de vie - La brunette -
Mon homme - Dictateur - Croc Madame -
23 août 96 - Un brin - Maitre des mots -
La Jeunesse - Sur un air d'accordéon
(chanson cachée Diégo)
Enregistré au Studio Tavernier
Peinture : Juliette
Avec Céline et Juliette
Guests: Dan, Youssef et Babette

## RÊVE D'HISTOIRE - 2007

Rêve d'Histoire - Tendre tango - Rien ne sert
- Humanimal - On ne cède pas - Juste -
Sous les plaintes-Je sais - Camarades -
Il est minuit - Chili - Jeu de Bush
Enregistré à l'Etable par Djack
Peinture : Juliette
Avec Céline, Benoit Rey, Yaume Lannoy
et Juliette aux choeurs

## VIVRE DEBOUT - 2011

Les vipères & la sève - Je vis encore - Ze Nanas
- Et dire - Rêve d'Histoire - C'est moi! -
On ne cède pas - Le cri - La Trim - Vivre debout
Enregistré à Probe Laze It! par Philippe Balze
Avec Céline, Benoit, Yaume, Elie Guegain,
Jean-Baptiste Huet, Pascaline Herveet, Léa Sarfati
Peinture : Juliette
Album dit «Fantôme» car jamais sorti.

## VIVRE - 2014

Leave me crazy - Et dire - Je vis encore -
Juste - A l'envers - Les néons - ADN -
C'est moi - 23 août 96 - Pandora -
Les vipères & la sève - On ne cède pas
Dictateur
Réalisation: Xavier Sanchez
Enregistré au Studio 26B par Bernard Menu
Avec Céline, Benoit, Yaume et Xavier

## La Jongle des Javas

Dates de concerts depuis 2000 (Par spectacle et année) Il en manque certainement, tout n'était pas noté dans les carnets... Les dates marquées d'un * sont à retrouver sur la chaine Youtube de la JOngle. Et vous, vous nous avez vus où ?

### Dates 2000

La Jongle des Javas : Spectacle « Les Balles Cendrees »

| | |
|---|---|
| 15 septembre | 1ère partie du groupe Nord-Sud - Mjc d'Oullins (69) |
| 7 Octobre | Festival Place ose Herbes, 2ème édition Grenoble (38) |
| 20/21 octobre | Festival International du Livre Garage Laurent - Forcalquier (04) |
| 28 Octobre | Festival Chansons Buissonnières 38 1ère partie Alain Leamauff – Apprieu |
| 3 Décembre | 1er concert sous le nom de Jongle des Javas au squat CPA - Grenoble |
| 4 Décembre | Concert à l'ADAEP Grenoble (38) |

Valentin part en Asie, Régis est amoureux de la Colombie et d'une Colombine. On continue la route Juliette et moi.

### Dates 2001

La Jongle des Javas « Le Bistroquet » avec Frankie Delettre

| | |
|---|---|
| 18 janvier | Concert de soutien à la Caravane Anti-capitaliste de Davos – ADAEP Grenoble (38) Avec les Etablissements Brumaud et Les Spartack Circus |
| 5 février | Concert de soutien à Drugi-Most Avec La Petite Compagnie, W5– ADAEP Grenoble |
| 15 février | Festival de la Marionnette - ADAEP |
| 3 Mars | Concert au Tonneau de Diogène 1ère partie de La Hurlante – Grenoble |
| 13 mars | Petit Théâtre de Chavanoz (38) |
| 21 mars | Festival Fraka – CPA, Grenoble (38) |

25 mars — Soirée Hommage à Jacques Prévert avec la Cie Serge Pot- La Cigale Nyons (26)
29 mars — Hommage à Léo Ferré, 1ère partie de Jean-Marc Le Bihan -Mjc du Vieux Lyon (69)
31 mars — Hommage à Léo Ferré, avec plusieurs artistes - Salle Rameau Lyon
2 avril — Concert de clôture du Festival d'Arts Mêlés Tonneau de Diogène, Grenoble (38)
6 avril — Café de la Gare, Pont de Beauvoisin (38)
26 avril — Restaurant culturel La Frise - Grenoble (38)
17 mai — Duplex de St Martin le Vinoux (38)
18 mai — CPA – Grenoble (38)

Du 20 au 25 mai - Enregistrement du mini-album « Clown de Vie »

2 juin — Rencontre d'Ecriture du Festival Les Petits Toits du Monde - L'Alcazar, Sisteron (04)

LA JONGLE DES JAVAS « CLOWN DE VIE » JULIETTE ET CELINE

7 juin — Festival de la Chanson Moderne du Theâtre 145 - Café de la Station, Grenoble
9 juin — Présentation du Festival Brel – Entre Deux Guiers (38)
10 juin — Café coopératif Le Cœur des Gens – Lyon
21 juin — Fête de la Musique, Place St Jean – Lyon
23 juin — Soirée Cabaret, Café de la Page Le Percy
28 juin — Festival des Saltimbanques Circus sous chapiteau - Montbonnot (38)
19 – 21 Juillet — Extra - Off Festival Chalon dans la Rue (71)
22 juillet — Off Festival Brel – St Pierre de Chartreuse
27 juillet — Soirée Cabaret au Van Gogh – Romans
28 juillet — Festival ABC Musique – Greytus (07)
10 août — Soirée Cabaret – Sappey en Chartreuse
11 août — Festival Fay Sur Lignon (42)
17 août — Festival Désensablé – Excenevex (74)
15 septembre — Fête du Fort du Mûrier par Les Saltimbanques Circus – Gières (38)
16 septembre — Cabaret au Van Gogh – Romans (26)
20 octobre — Librairie Café Concert L'Encre Rage Grenoble

| | |
|---|---|
| 26 octobre | Festival Magic Bus – Ferme de l'Abbaye, Fontaine (38) |
| 20 novembre | Soirée « Chansons engagées » - Squat Le Crocoléus – Grenoble (38) |

## Dates 2002

La Jongle des Javas « Clown de Vie »

| | |
|---|---|
| 29 janvier | Soirée association humanitaire D'Jallaba – Grenoble |
| 13 mars | Festival Unplugged de l'Entrepôt– Grenoble |
| 25 avril | Festival Arts Mêlés – Place Grenette, entrecoupé de revues de presse sur l'entre deux tours par Juliette et Céline. |
| 3 mai | Festiv'Arts – Grenoble |
| 7 mai | Anniversaire de l'Entrepôt avec Rhésus et Peps – Grenoble |
| 29 mai | Défi jeunes – Lyon (69) pour notre album |
| Du 4 au 8 juin | Cabaret Le Cœur des Gens – Lyon (69) |
| 14 juillet | Festival de Villeurbanne (69) |
| 17 juillet | 1ère partie de Bernard Joyet – Festival Brel, St Hugues en Chartreuse |
| 22 juillet | Tremplin « Déjeuner en Herbe » 1er Prix – Tullins (38) |
| 5 août | La Boîte à Musique et Compagnie – Novalaise (38) |

Septembre - Enregistrement de l'album « L'ère que tu bois » Studio Tavernier – Romans

| | |
|---|---|
| 28 septembre | Festival Quartiers Libres – Villeneuve (38) |
| 13 octobre | Squat le Crocoleus avec Les Ste Rita et les Etablissements Brumaud |
| 18 octobre | Douceur Café – Grenoble (38) |
| 23 octobre | Ciné-théâtre de la Ponatière – Echirolles |
| 14 novembre | Festival Avant-Sème, ADAEP – Grenoble |
| 15 et 16 novembre | Petite Roulotte, ADAEP – Grenoble |
| 22 novembre | Mjc du Vieux Lyon – Lyon |

19 décembre Vernissage de sortie de l'album « L'ère que tu bois » Tullins (38)
Le nom de l'album vient d'un poème du poète anarchiste Jean Richepin : « L'ère que tu bois, d'autres l'ont bue avant toi »

## Dates 2003

LA JONGLE DES JAVAS « L'ERE QUE TU BOIS »

28 janvier 1ère partie de Clarika – Rocktambule La Rampe, Echirolles (38)
Dans le cadre du Fonds de Soutien aux Premières Parties
30 janvier Show-case au Magic Bus (disquaire indépendant) – Grenoble
1er février L'Entrepôt – Grenoble
14 février Café-concert l'Atmosphère – Voiron (38)
22 février Concert de soutien au groupe W5 ! – La Coupole, Villard de Lans (38) avec La Hurlante
23 février Avec Linotte Lulu Squat Le Chapitonom, Grenoble
8 mars 1ère partie des Etablissements Brumaud – Théâtre 145, Grenoble
15 mars Festival Unplugged – L'Entrepôt, Grenoble avec Camille et Les Castafiore Bazooka
20 mars Clinique G.Dumas – La Tronche (38) En partenariat avec l'Hexagone de Meylan
28 mars « Les 3 ans de mariage de La Jongle des Javas » - La Boîte à Musique et Cie Novalaise (38)
14 avril Festival Les Arts Mêlés – La Faïencerie La Tronche (38)
19 avril Festiv'Arts – Place aux Herbes, Grenoble
17 mai Soirée Cabaret – Oyeu (38)
24 mai « Les 10 ans du Grand Angle » - Voiron (38)
8 juin Festival Barbara – St Marcellin (38)
12 juin Concert de soutien à l'Encre Rage expulsée – Grenoble (38)

Prestations annulées – La Jongle des Javas en grève contre le protocole de l'UNEDIC de juin 2003

3 juillet — Festival du Théâtre Européen – Grenoble
6 juillet — Festival plein les Oreilles – Echirolles (38)
7 septembre — Fête du Pot au Noir – Rivoiranche (38)
10 octobre — Tigneu-Jameyzieu (38)

JULIETTE ARRETE LA MUSIQUE, LA SCENE MAIS RESTE DANS LE COLLECTIF DE LA JONGLE DES JAVAS EN TANT QUE PEINTRE.

24 octobre — 1ère partie de Loïc Lantoine – Hexagone, Meylan (38) 1ère date avec Benoit Rey, sous la houlette d'Antonio Placer

« ... D'AUTRES L'ONT BU AVANT TOI »
AVEC MANU ROUSSEAU (CONTREBASSE) ET BENOIT REY (ACCORDEON)

8 Décembre — Mjc Picasso, Soirée Pleine Lune – Echirolles

## Dates 2004

LA JONGLE DES JAVAS « ...D'AUTRES L'ONT BU AVANT TOI »

24 et 25 janvier Enregistrement maquette « ...d'autres l'ont bue avant toi » par Dan et Kalim

| | |
|---|---|
| 26 février | Soirée co-produite par La Jongle des Javas « Ca ne tourne pas rond » Avec les Crise Carmen, Fausses Notes et Chutes de Balles et La Cie Tambouille Théâtre en Rond Sassenage (38) |
| 24 avril | Sélection Défi Jeunes –Scène Région Centre, Printemps de Bourges (18) |
| 13 mai | L'Art Scène – St Martin d'Hères (38) |
| 6 juin | Festival « Ah ! Ces ptits bouts de femmes ! » - Nîmes |
| 19 juin | Fête de la Musique – Beauvène (07) Avec Le Bruit de l'œuf |
| 3 juillet | Festival des Abattoirs – Bourgoin Jallieu (38) |

Dernier concert avec Benoit et Manu. Rencontre avec Yaume. Céline part de Grenoble.

## Dates 2004 - 2005

CELINE DUMAS CHANTE LA JONGLE « LA LINE EN SOLO »

19 octobre 1ère partie d'Enzo Enzo – Le Totem, Chambéry
21 juin 05 Festival Plein les Oreilles – Echirolles (38)
24 septembre 05 Les Caves de Bon Séjour – Versoix (Suisse)
2005 - 2006 – Break de Céline pour un petit Gavroche avec Yaume.

## Dates 2007

LA JONGLE DES JAVAS CELINE, BENOIT REY, YAUME LANNOY

17 janvier La Balle au bond – Paris 5ème, organisé par Horizon music
Février Enregistrement d'une nouvelle maquette
7 Avril Salle des Cordeliers- Romans (26) par le Collectif « Lève Toi et Vote »

Tournée parisienne des caveaux avec Charles Mugel au son et Pauline Bourmeau au tour et photos
9 avril l'Abracadabar (Paris 12)
10 avril les Cariatides (Paris 2)
12 avril le Chat Noir de Belleville (Paris 11)
15 avril le Caveau des Artistes (Paris 18)
2 Juin Scène Nationale des Pyrénées de Tarbes – Soirée Découvertes par Philippe Meyer (France Inter)

Juillet/Août Enregistrement/mixage/mastering de l'album « Rêve d'histoires » à l'Etable par Djack

Rencontre avec Mickaël Paquier, dit Micha, qui arrive à la batterie.

**29 novembre Sortie du second album Rêves d'histoires La Bobine Grenoble**

La Jongle des Javas « Reve d'Histoire »
Celine Dumas, Benoit Rey, Yaume Lannoy, Mickaël « Micha » Paquier

| | |
|---|---|
| 1er Décembre | Mini-festival de vue sur les auteurs, organisé par Ras L'Prod et l'association Milles Pattes |
| 8 décembre | Café de la Gare (Pont de Beauvoisin 38)* |

**Dates 2008**

| | |
|---|---|
| 6 mars | Le Karkadé - Grenoble |
| 3 avril | Le Karkadé - Grenoble |
| 5 avril | La Boîte à Musique et Compagnie (Novalaise 73) |
| 17 avril | Le Karkadé - Grenoble |
| 18 avril | La Brique (Pont de Beauvoisin 38) |
| 25 avril | Le Poulpe (Reignier 74) |
| 2 mai | L'Entrepôt (Paris 14)* |
| 15 mai | Le Karkadé - Grenoble |
| 29 mai | Le Kraspeck Myzik (Lyon) |
| 31 mai | Café culturel A Tout va Bien (Torsiac 43) |
| 4 juin | show Case avec Dynamusic- Bibliothèque du centre ville - Grenoble |
| 7 juin | Fête des Tuiles (Grenoble 38) |
| 20 juin | Show-Case FNAC Grenoble |
| 21 juin | Fête de la Musique (Allevard 38) |
| 23 juillet | Festival Cinéfil (Andance 07) |
| 25 juillet | Guinguette Festival Brel – St Pierre de Chartreuse |
| 1er Août | Café Brochier (St Julien en Vercors 26) |
| 16 août | l'Auberge (St Pierre de Chartreuse 38) |
| 12 septembre | La Brique – Pont de Beauvoisin (38) |
| 22 septembre | Théâtre les Clochards Célestes – Lyon 1er |
| 27 Septembre | Concert de soutien à RESF et « Amoureux au Ban Public » - Voiron (38) |
| 2 Octobre | Le Karkadé – Grenoble |

Du 31 octobre au 8 novembre : Résidence de création
La Faïencerie de la Tronche (38)

| | |
|---|---|
| 4 décembre | Le Karkadé - Grenoble |
| 5 décembre | l'Ilot 13 - Genève |
| 6 décembre | Gavroche Café - Genève |

## Dates 2009

| | |
|---|---|
| 14 février | Le Karkadé - Grenoble |
| 7 mars | L'Heure Bleue - St Martin d'Hères |
| 8 mars | Parrain du Tremplin « Et en plus elles chantent ! » organisé par « le Rock est pas mort » - Lyon 1er |
| 14 mars | La Ruche Agitée - St Pierre de Chartreuse |
| 10 Avril | Le Poulpe - Reignier (74) |
| 11 avril | Gavroche Café - Genève |
| 19 juin | Fête de la Musique St Jean de Tholome 74 |
| 14 juillet | Café des Arts - Aubusson d'Auvergne |
| 15 juillet | Cabaret A Tout Va Bien (Torsiac 43) |
| 14 Août | « Zic en ville » La Roche sur Foron 74 |
| 17 septembre | Présentation de saison à la Faiencerie - La Tronche (38)* |
| 18 septembre | Présentation de saison à la MJC des Rancy (Lyon) |
| 05 octobre | Co-plateau avec Flow à la MJC Rancy (Lyon) |
| 9 décembre | Le Chat Noir (Carouge) - Genève |
| 11 décembre | Le Versoud (38) |
| 29 décembre | Villard-Reculas (38) Office de Tourisme |

## Dates 2010

LA JONGLE CELINE, BENOIT, YAUME ET MICHA

« LES MAUX DES CHANSONS SONT LA GUEULE DE NOS MURS »

7 et 8 janvier Résidence de son - Atelier de Cluses (74) avec Amadou Sall (Treponem Pal) Studio des Variétés

Du 11 au 16 janvier Résidence au Totem de Chambéry (73) avec Pascaline Herveet (Les Elles) Studio des Variétés

| | |
|---|---|
| 19 janvier | Concert - Totem de Chambéry (73)* |
| 5 février | Locomysic - Vienne (38) |
| 24 février | Presqu'Ile - Annonay (07) Région en Scène |

| | |
|---|---|
| 6 mars | Voix de Fête – Le Chat Noir - Genève * |
| 13 mars | Les Chants de Mars – MJC des Rancy (Lyon) |
| 1er avril | Centre Culturel Le Savoie – St Michel de Maurienne (73) |
| 9 avril | Le Bois aux Dames – Samoens (74) |
| 22 avril | Les 10 ans de la Jongle – Le Drak'art * Grenoble |
| 24 avril | Le Bout du Monde – Veurey (Suisse) |
| 21 mai | L'Embellie – Modane (73) |
| 28 mai | Le Belvédère – Uriage (38) |
| 21 juin | Fête de la Musique - Cluses (74 ) |
| 24 juin | CHS de Bassens (73) |
| 2 juillet | Festival Chapeau Pointu–La Ferme à Réceptacle- St J s/Ressouze (01) |
| 3 juillet | Festival Ire et Désir – Vellane (38) |
| 31 juillet | Festival Chamrousse en piste ! |
| 26 aout | Festival du kiosque – St Chamond (42) |
| 14 septembre | Présentation de saison L'Heure Bleue – St Martin d'Hères (38) |
| 15 octobre | MJC le Trait d'Union – Reyrieux (01) |
| 12 novembre | Le Perce-Oreille – Reignier (74) |
| 13 novembre | l'Heure Bleue – St Martin d'Hères (38) |
| 16 novembre | Hommage à Jean Ferrat : « Potemkine » par Céline & Benoit |

Départ de Micha – Arrivée de Jean-Baptiste Huet

Du 14 au 16 décembre Résidence au Brise Glace (Annecy)

| | |
|---|---|
| 17 décembre | Magic Mirror co-plateau avec Monofocus – Organisé par Artootem - Annecy |

**Dates 2011**

| | |
|---|---|
| 12 février | Quaix en Chartreuse (38) |
| 19 mars | Cité Plurielle – Echirolles (38) |
| 25 mars | Festival Femmes Pluri'elles - L'Atmosphère (Voiron 38) |
| 9 avril | Scarabée – Bonneville (74) |
| Avril | Enregistrement Pré-Prod de l'album |
| 21 avril | Le Karkadé - Grenoble |

| | |
|---|---|
| 14 mai | Perce Oreille – Reignier (74)* |
| 17 juin | Fête de la Musique avec Evelyne Gallet– St Maurice l'Exil (38) |
| 5 aout | Allevard (38) |
| 9 aout | Les Rives du Lac (Veynes 05) |
| 10 aout | Le Fourmidiable (Veyne 05) |
| 11 aout | La Garrigue (Veynes 05) |
| 12 aout | L'Artootem (Annecy) |

Aout Enregistrement Pré-Prod par Yaume et Elie du prochain album « Vivre debout »

| | |
|---|---|
| 30 septembre | Forum pour la Paix – avec I Muvrini, Bastien Mots Paumés, Philippe Seranne-Salle Olivier Messian – Grenoble (38) |
| 8 octobre | La Maison du Cœur de Mino – Tullins (38) |

Octobre Enregistrement des arrangements de la Pré-prod

Du 20 novembre au 1er décembre Enregistrement de l'album Au Studio Probe Laze It ! Clamart avec Philippe Balze
Jean-Baptiste Huet ne reviendra plus dans le groupe

| | |
|---|---|
| 8 décembre | Semaine du municipalisme libertaire* MQ Jonction- Genève – |

Du 13 au 22 décembre Mixage au studio Probe Laze It !

## Dates 2012

LA JONGLE « VIVRE DEBOUT » AVEC SIMON CLOCHARD A LA BATTERIE

| | |
|---|---|
| Du 13 au 18 février | Résidence de création au Ciné-théâtre la Ponatière - Echirolles |
| 16 février | Soirée Slam – La Bobine - Grenoble |
| 18 février | Répétition publique – Ciné-théâtre de la Ponatière- Echirolles |
| 8 mars | Soirée de soutien à Katia Bouchoueva * La Bobine – Grenoble. Rencontre avec Fred Sulpis qui sera désormais aux lights. |

1er mai — Festival Mayday Parc des Bastions – Genève
1er janvier — St Etienne de Crossey (38)
2 juin — Festival Quartier Libre – Grenoble
9 juin — Fête de la Musique avec l'Impérial du Kikiristan – Mably (42) Concert où Latrim a pu enfin entendre sa chanson en live.

21 juin la BO ! – Echirolles : Clôture d'un projet d'actions culturelles sur le territoire de la ville sur 3 ans : ateliers écriture, chorale, enregistrements, concerts, peinture, créations avec les échirollois.

La structure Les Timides Associés, tour/ prod de la JOngle, coule. Avec l'album enregistré avec Philippe Balze.
Sans aucun recours possible.

9 novembre — Le Coléo – Pontcharra (38)*

## Dates 2013

23 février — 1ère partie Blérots de Ravel
SMAC Les Abattoirs - Bourgoin-Jallieu (38)
16 mars — 1ère partie Blérots de Ravel *
Château-Rouge – Annemasse (74)

Départ de Simon Clochard (batterie) et Elie Guegain (son)
Arrivée de Micha et de Sophie Martel au son.

Juillet — Résidence compositions Prunier Sauvage.
Mickaël Paquier (batterie)

Août Compositions Ateliers Picasso (Echirolles) Mickaël Paquier (batterie)

Octobre Rencontre avec Xavier Sanchez.

Début du travail de réalisation artistique sur le nouveau set avec Benoit (accordéon), Yaume (basse) et Céline + Pad
Travail de réarrangements avec Xavier Sanchez / La Bobine

3 décembre — Festival Mannart – La Salle Noire – Grenoble

## Dates 2014

Mai 2014 Enregistrement de l'album « Vivre » au Studio 26B* de Marseille Réalisation artistique Xavier Sanchez/ Enregistrement Bernard Menu

11 août — Festival Fay sur Lignon (42)
11 octobre — Festival Allevard en scène (38)

## Dates 2015

Septembre — Soirée « Ma manivelle dans ta gueule » Hommage à Sylvain Latrim parti en mai Salle Noire – Grenoble (38)

Octobre départ de Benoit Rey, sa petite famille s'agrandit.

22 octobre — Yaume et Line en duo pour les Scènes iséroises de France Bleu- La Source * Fontaine (38) 1ère de la chanson « Aux rêves » pour Latrim.

## Dates 2016

Année du LabO : trouver le nouveau son, la nouvelle couleur de La JOngle, la nouvelle direction.
Sophie Martel intègre le LabO avec ses samples, sax, basse et talent d'arrangeuse. 1 an de travail jusqu'en décembre 2016.

Décembre 2016 Enregistrement du LabO 2016
Studio 26B de Marseille avec Bernard Menu
Sophie a trop de boulot sur les scènes des autres et arrête le projet.

## Dates 2017

6 janvier — La JOngle duo – Cabaret des Ramières/ Eurre (26)

Mars Constitution de la nouvelle team artistique.
Premières répétitions en petits groupes pour préparer une sortie de LabO : Touma Guittet entre dans le groupe à la batterie, Mika au son pour rejoindre Fred à la console

Avril Jean-Christophe Prince entre dans le groupe aux claviers

La Jongle « Sortie de LabO »

| | |
|---|---|
| 1er mai - 4 mai | Résidence de sortie de LabO La Ponatière* Echirolles (38) |
| 4 mai 17 | Sortie de LaBO |
| 30 juin | La Marmite / Les Adrets 38 |

Juillet 2017 /The World Trièves Tour: la Jongle / Beau Sexe

| | |
|---|---|
| 27 juillet | Bistrot de la Place - Clelles 38 |
| 28 juillet | Café Chez Jeanne - St Martin de la Cluze |
| 29 juillet | Le Petit Perrière - Grenoble |
| 9 septembre | La Gélinotte - Freydières 38 |
| 15 novembre | L'Illyade / Seyssinet-Pariset 38 |

## Dates 2018

| | |
|---|---|
| 16 mars | En duo / Le bal des Fringants<br>Festival quand les souris dansent - Lyon |
| 29 juin | En duo / Si les vaches avaient des ailes, chez Poon- Rompon (07) |

Juillet 2018 /The World Mountains Tour la Jongle / Beau Sexe

| | |
|---|---|
| 20 juillet | Le Bistrot de la Place / Clelles (38) |
| 21 juillet | La Gélinotte de Freydières / Revel (38)* |
| 22 juillet | Concert privé chez Anne et Pierre/ Belledonne |
| 25 juillet | La Halle de Mens (38)<br>organisé par l'asso Lou K Zarba |
| 26 juillet | Les Peuples liés / Dieuleefit (26) |
| 27 juillet | Saint Eulalie en Royans (26) |

| | |
|---|---|
| 10 août | Festival des Apéros Musique de Blesle (42)<br>Chez Latrim. Sur sa scène roulante.<br>Promesse tenue, l'ami. Aux rêves ! |

PHOTO : LAURENCE FRAGNOL 2018

## Sommaire


Préambule P7
Sur un air d'accordéon P9
La Jeunesse P11
Un brin P13
Le Bistroquet P14
Dictateur P15
Clown de Vie P17
C'est moi P18
Ma colocataire P21
Mon Homme P23
La ville sous la pluie P25
J'aimerais P27
Je ne rirais pas P28
Jeu de Bush P30
Le Tango Suédois ou la Démesure de la Vie P32
Chanson gaie P33
Croc Madame P35
Les Marins des villes P38
L'idiot du quartier P40
Le café P42
La Brunette P43
23 Août 96 P46
Sous le pont Mirbeau P48
Bretzel P49
Il est minuit P51
Futurs Patrons P52
On n'cède pas P55
Humanimal P56
Je sais P58
Rêve d'Histoire P61
Camarades (Ode à Jacques Prévert) P63
Sous les plaintes P65
L'ère que tu bois 2002 P67
Ça ne tourne pas rond 2003 P68
L'Entrepôt – Paris 2007 P69

Les 10 ans de la JOngle 2010 P70
Album « Vivre debout » - Paris 2011 P71
Album « Vivre » - Marseille 2014 P72
Juste P73
Tendre Tango P75
Rien ne sert de se souvenir, il faut agir à point P77
Chili P78
Goutte à goutte P79
Les Amants du Crépuscule P81
Le cri P84
Vivre debout P87
Ze Nanas P89
La Trim P91
Et dire P94
Je vis encore P96
Les Vipères & la Sève P98
Deraa P100
Te quiero P102
Les néons P105
Leave me crazy P108
Tout semble P110
Comment pourrais-je P112
Que reste-t-il de nos mémoires P114
ADN P115
A l'envers P117
Pandora P119
Prends-moi dans tes bras P120
Ô mon frère d'arme P122
La valse des rêves P125
Une vie de Pas Pareil P127
Citadelle P129
Aux rêves P130
Aux griffes de nos sourires P132
Mark David Chapman P134
Il faut continuer P136
Vous pouvez retrouver certaines de ces chansons sur la chaine YouTube de La JOngle ou sur Souncloud.